D1086308

El
significado de los
NOMBRES

Toñi F. Castellón

El significado de los Nombres

editorial Sirio, s.a.

6ª edición: septiembre 2004

Diseño de portada: Editorial Sirio, S.A.

EDITORIAL SIRIO, S.A.
C/ Panaderos, 9
29005-Málaga
España

Nirvana Libros S.A. de C.V.
Av. Centenario, 607
Col. Lomas de Tarango
01620-Del Alvaro Obregón
México D.F.

Ed. Sirio Argentina
C/ Castillo, 540
1414-Buenos Aires
(Argentina)

www.editorialsirio.com
E-Mail: sirio@editorialsirio.com

I.S.B.N.: 84-7808-311-1
Depósito Legal: B-35.643-2004

Impreso en los talleres gráficos de Romanya/Valls
Verdaguer 1, 08786-Capellades (Barcelona)

Printed in Spain

Con frecuencia olvidamos que el nombre ejerce una influencia sutil pero importante sobre el individuo, incluso llegando a moldear suavemente su personalidad a lo largo de la vida.
De ahí la importancia de efectuar conscientemente esta elección, procurando no dejarse llevar por egoísmos ni por modas, sino atendiendo al significado interno y a la vibración del nombre elegido, vibración que acompañará durante toda su vida al recién nacido, le representará antelos demás y se identificará tanto con él que llegará a «ser él».
Espero que la presente obra contribuya tanto a informar como a concienciar a los padres en el importante momento de tener que decidir un nombre para sus hijos.

La autora

AARÓN:

Etimología: del hebreo.

Personaje célebre: hermano mayor de Moisés.

ABDÓN:

Etimología: del hebreo o árabe *Abd* (siervo), sobreentendiéndose «de Dios».

Personajes célebres: el inseparable compañero de San Senén, aunque el nombre procede ya de un juez de Israel.

ABEL:

Etimología: del hebreo, el que llora; o del asirio, el hijo.

Rasgos característicos: se aplica a personas que son muy prácticas. Su razón sabe guiar y vigilar la imaginación y el corazón. Son reservados, poco exuberantes y tienen mucha voluntad.

Santo: San Abel, arzobispo de Reims en el siglo VIII.

Personajes célebres: Abel, segundo hijo de Adán y Eva, matado por su hermano Caín. Abel, rey de Dinamarca (1218-1252).

ABELARDO:

Etimología: adaptación medieval de Abel mediante el sufijo germánico *hard*, fuerte, duro, presente en numerosos nombres masculinos.

Personajes célebres: confundido a menudo con Adelardo y con Eberardo, debe su fama al monje Pedro Abelardo, amante de Eloísa.

ABELINA:

Derivado de Abel.

ABIGAIL:

Etimología: del hebreo *Ab-guilah*, alegría del padre, o quizás «fuente de alegría».

Personajes célebres: portado por la bíblica esposa de Nabal y, en segundas nupcias, de David. Corriente en los países anglosajones y en Brasil.

ABRAHAM:

Etimología: del hebreo, el padre de la multitud, o el gran antepasado, nombre del patriarca de la Biblia.

Santos: San Abraham, ermitaño en Siria en el siglo VI. San Abraham, abad de Auvergne en el siglo V.

Personajes célebres: Mariscal Abraham de Fabert (1599-1662). Abraham Lincoln, presidente de los Estados Unidos.

ABSALÓN:

Etimología: del hebreo, padre de la paz.
Personaje célebre: hijo de David.

ACACIO:

Etimología: en griego *Kakós* es «malo, ruin» (recordemos el célebre malhechor Caco). «A» es partícula privativa: *A-kakós*, «no malo», o sea, «bueno».
Personajes célebres: era el sobrenombre de Hermes, perenne benefactor de la humanidad.

ACISCLO:

Etimología: encontramos en este nombre una de las más antiguas raíces indoeuropeas: *ak*, «punta», que dio el latín *ascia*, «hacha, azada». De ahí el diminutivo Acisculus, «pico de picapedrero», por el que se designaba a su portador el cantero o lapidario. El nombre es muy popular en Cataluña bajo la forma de Iscle.

ADA:

Etimología: nombre hebreo. De *adah*, «ornamento, belleza», aunque es más usada como hipocorístico de nombres como Adela, Adelaida... También de Hada, nombre alusivo a los seres fabulosos de la literatura infantil.
Personajes célebres: nombre llevado por la primera esposa del patriarca Esaú.

ADALBERTO:

Etimología: nombre germánico, compuesto de *athal*, «noble», y *berht,* «brillante, famoso».

Famoso por la nobleza. Es uno de los más extendidos nombres de origen germánico, como lo prueba la enorme cantidad de equivalentes y derivados: Adelberto, Alaberto, Alberto, Aldaberto, Auberto, Edelberto, Etelberto, Oberto...

ADÁN:

Etimología: del hebreo, el hombre o el primer hombre.

Rasgos característicos: son valientes, viriles y tienen un espíritu emprendedor unido a una fuerza dominadora. En cambio, tienen algunas debilidades masculinas.

Santo: en algunos países se venera a San Adán, el primer hombre.

Personaje célebre: el primer hombre sobre la tierra.

ADELA:

En francés: Adèle.

En inglés: Adela.

En alemán: Adle.

En italiano: Alida o Adele.

Etimología: del germánico, de raza noble.

Rasgos característicos: son muy dulces, encantadoras, amables y hasta coquetas. Tienen aspecto risueño, un poco burlón y todo su cuerpo expresa vivacidad. Les gusta soñar, pero no pensar. Pocas veces conservan una idea el tiempo suficiente como para que madure. Son verdaderas enamoradas, pues aman con todo su corazón. Son enamoradas dulces, fieles y tiernas. Son muy sensibles. Se adaptan mal a los malos golpes de la vida, que las hacen rápidamente muy desdichadas. Si pudieran controlar su sensibilidad, serían las personas más felices de la tierra.

Santa: Santa Adela, hija del rey de Austria Dagoberto II, abadesa de un monasterio cerca de Tréveris, muerta en el 735. Santa Adela, viuda, última hija de Guillermo el Conquistador. Santa Adela, esposa de Balduíno IV, conde de Flandes.

Personaje célebre: fundadora y primera abadesa del monasterio en Pfalzel, en Alemania.

ADELAIDA:

En francés: Adelaïde.

En inglés: Adelaide.

En alemán: Aldelheid.

En italiano: Adelaida.

Etimología: del germánico, hija ilustre.

Rasgos característicos: los mismos que para Adela.

Santa: Santa Adelaida, emperatriz de Alemania en el siglo X.

Personajes célebres: hija del rey de Borgoña, esposa del rey Lotario de Italia. Adelaida o Alix de Saboya, esposa de Luis VI el Grueso. Madame Adelaida de Francia, hija primogénita de Luis XV. Madame Adelaida, princesa de Orleans, hermana de Luis Felipe.

ADELARDO:

Etimología: del germánico *athal-hard*, noble y fuerte.

Variantes: Adalaro, Adlhardo, Alardo.

ADELFO:

Etimología: del griego: *a-delphos*, literalmente «sin matriz», es decir, «hermano».

ADELGUNDA:

Etimología: del germánico *athal-gundi*, «famoso por su nobleza».

Variantes: Aldegunda, Adelgundis.

ADELINO:

Etimología: del latín, derivado del griego.

Rasgos característicos: son enérgicos, llenos de vitalidad y curiosos en todo. Emprendedores y seguros de sí mismos. De inteligencia clara, tienen la capacidad de desenvolverse en las situaciones más embarazosas. Su vida es relativamente estable y se puede confiar en ellos, pues son hombres de palabra. Saben escoger a sus amigos. De excelente moralidad, tienen una fe muy fuerte y un alto sentido de la amistad.

Santo: San Adelino, fundador del monasterio de Celles y patrón de la ciudad de Visé.

ADELTRUDIS:

Etimología: del germánico *athal-trud*, «amado, apreciado por su nobleza». Presenta otras formas similares como Ediltrudis, Edeltrudis o Edeltruda. También, impropiamente, Aldetrudis.

ADOLFO:

En francés: Adolphe.

En inglés: Adolphus.

En alemán: Adolf.

Etimología: del gótico, padre del lobo; o del alto alemán, socorrido por su padre.

Santo: San Adolfo, obispo de Osnabrück (Alemania), en el siglo XIII.

Personajes célebres: Adolfo Adán, compositor de música francés. Adolfo Niel, mariscal de Francia. Adolfo Hitler, dictador de la Alemania nazi.

Obra: *Adolphe*, de Benjamín Constant.

ADRIÁN:

En francés: Adrien.

En inglés: Adrian.

En alemán: Adrian.

Etimología: del griego, poderoso; o del latín, nativo de la ciudad de Hadria.

Rasgos característicos: son viriles, severos y tienen sentido de la justicia. De naturaleza muy activa y meticulosa, les gusta la investigación. En caso de fracaso o mala suerte, pueden llegar a la acritud. No son exigentes y le piden muy poco a la vida; en cambio, son dados a cierto fanatismo. Su temperamento les lleva a apegarse fuertemente a la persona amada. Son tiernos y amables y saben cómo consolar a las personas menos afortunadas que ellos. Hacen amigos con facilidad y su preciada compañía es siempre buscada. En el amor son muy celosos.

Santo: San Adrián, pagano y oficial del emperador romano Galerio, convertido al ver el valor de los mártires cristianos y martirizado también

en Nicodemia, en el 306. Patrón de los verdugos y de los soldados.
Personajes célebres: Un emperador romano. Siete papas y diez patriarcas rusos.

ADRIANA:

Derivado de Adrián.
Rasgos característicos: de temperamento ardiente. Siempre en actividad, su imaginación y sus pensamientos viven en continuo torbellino. Poseen visión comercial, pero les falta sentido común para los otros aspectos de la vida. Tienen magnetismo personal, pero a veces no lo saben emplear para fines constructivos. Destruyen ilusiones y cortan con el pasado casi con furia feliz.
Personaje célebre: Adriana Lecouvreur, actriz trágica francesa de principios del siglo XVIII.

AFRA:

Etimología: del latín *afer*, *afro*, africano.

ÁFRICA:

Etimología: el nombre del continente africano, conocido desde los más remotos tiempos, ha dado lugar a abundantes especulaciones sobre su significado: del griego *aprica*, «expuesto al sol»; o de *aphriko*, «sin frío, cálido»... o por la tribu Aourigha, una de las primeras que entró en contacto con Roma.
Personajes célebres: nombre popularizado en España especialmente a través de la Virgen de África.

Derivados: Afra, Africano, este último célebre por el militar romano que derrotó a Aníbal.

AFRODISIO:

Etimología: nombre griego, derivado del adjetivo *aphrodisios*, «amoroso» (cf. con la palabra afrodisíaco), a su vez del nombre de Afrodita, la diosa del amor (posteriormente adoptada por el panteón romano con el nombre de Venus), nacida de la espuma (*aphrós*) del mar. Sinónimo de Agapito.

AFRODITA:

Etimología: del griego.

Personaje célebre: diosa griega de la Belleza y del Amor.

AGAPITO:

Etimología: del griego *agapitós*, «amable», por *agápe*, «caridad», que acabó dando nombre a los convites fraternales de los primeros cristianos. Sinónimo, por tanto, de Amable, Afrodisio, Agapitón, Erato, Filandro, Lioba, Pancario y muchísimos más.

ÁGATA:

En francés: Agathe.

En inglés: Agatha.

En alemán: Agatha.

Etimología: del griego, mujer buena y virtuosa.

Rasgos característicos: son refinadas, espirituales, muy amorosas y siempre tienen el espíritu despierto. Sobresalen en las tareas más humildes.

Santa: Santa Agata, nacida en Palermo, martirizada y torturada bajo el emperador Decio, hacia el 251, por su apego a la fe y a la castidad. Patrona de las nodrizas.

Personaje célebre: Agatha Christie, novelista inglesa.

AGLAYA:

Nombre de una de las tres gracias de la mitología griega, con Talía y Eufrosina.

Etimología: de *aglaía*, «resplandor, belleza». Puede interpretarse como «la resplandeciente», al igual que Actínea, Fulgencio, Lucidio, Panfanero, Radiante y Rútilo.

AGRIPINA:

Etimología: el nombre romano Agrippa significa, según Plinio, «el que nace con los pies hacia fuera», o sea, «nacido de parto difícil, con dolor de la madre» (avéstico *agro*, «primero», y latino *pes*, «pie»). Como gentilicio de este nombre surge Agripinus, hecho famoso por la disoluta madre de Nerón.

ÁGUEDA:

Ésta es la forma más común del nombre, aunque son también corrientes Ágata y Agacia.

Etimología: del griego *agathós*, «bueno».

Santa: Santa Águeda, siciliana, martirizada en tiempos de Decio.

AGUSTÍN:

En francés: Augustin.

En inglés: Austin.

En alemán: Augustinus.
Etimología: la misma que para Augusto.
Rasgos característicos: los mismos que para Augusto.
Santo: San Agustín (354-430), uno de los doctores más ilustres de la Iglesia de Occidente. San Agustín, de Canterbury, venerado en Inglaterra bajo el nombre de Saint Austin, primer arzobispo de Canterbury, apóstol de Inglaterra en el siglo VI.
Personaje célebre: Augustin Thierry, historiador francés.

AGUSTINA:

Femenino de Agustín.
Rasgos característicos: demasiado prácticas y sin sensibilidad para captar el lado poético de la vida. De inteligencia firme pero poco brillante. No poseen ingenio ni imaginación. Ven la realidad tal cual es, sin tratar de hermosearla en el mundo del espíritu. Tienen sentido común para enfrontar los hechos y son sumamente perseverantes cuando se trata de arribar a una meta que se han propuesto. Sin prisa pero sin pausa, avanzan lentamente, sin desviarse, hacia donde desean.

AIDA:

Variante de Ada, nombre en el que se inspiró el libretista Piave para crear el nombre de la heroína de la ópera de Verdi. De este momento arranca la difusión del nombre.

ALBA:

Etimología: del alto alemán.

Rasgos característicos: tienen un carácter amable, un poco caprichoso, una sensibilidad a flor de piel y son muy dadas tanto a las efusiones y a las caricias como al enfurruñamiento. Son posesivas y, muy a menudo, prefieren amar a ser amadas. Tienen una resistencia sorprendente y una vitalidad muy fuerte. Por eso son buenas amas de casa y les gustan los trabajos de interior.

ALBERICO:

Etimología: del germánico, de significado discutido. Se ha propuesto *athal-bera*, «oso noble», aunque parece más probable que el primer componente sea *alb*, una de las formas que presenta la palabra *elf*, «elfo», duende de los bosques.

Un derivado famoso es Oberón. En árabe, *alberic*, «frondoso», es un topónimo muy corriente, que ha engendrado onomásticos.

ALBERTO:

En francés: Albert.
En inglés: Albert.
En alemán: Albrecht.
En italiano: Alberto.
Etimología: del alto alemán, de nobleza brillante.

Rasgos característicos: son tímidos y emprendedores al mismo tiempo, audaces y prudentes, influenciable y tenaces, obstinados y flexibles. Su apariencia es engañosa con frecuencia, aunque no hay hipocresía en su actuación. Aunque se mantienen apartados, sin embargo siempre están dispuestos a ayudar. Son de un humor fácil, saben hacerse agradables y pueden evitar las situaciones delicadas. Son capaces de grandes pasiones y de una perfecta fidelidad. Aman totalmente o nada en absoluto.

Santo: San Alberto el Grande, célebre monje dominico, obispo, confesor y médico, que tuvo como discípulo a Santo Tomás de Aquino, muerto en Colonia en 1280, canonizado por el papa Pío XI. Patrón de los científicos, naturalistas y químicos.

Personajes célebres: numerosos emperadores, reyes, príncipes de los estados de Alemania, Austria y Suecia. Alberto I de Mónaco, fundador del Instituto Oceanográfico. Alberto I, rey de Bélgica, héroe de la I Guerra Mundial. Alberto de Sajonia, esposo de la reina Victoria. Alberto Durero, pintor y grabador alemán. Albert Camus, escritor francés. Albert Schweitzer, filósofo, médico y músico francés. Albert Einstein, físico alemán, padre de la teoría de la relatividad.

ALDO:

Etimología: del germánico *ald*, «crecido, viejo, mayor», y por analogía, «importante, caudillo». Nombre muy popular en Italia.

Personajes célebres: Aldo Moro, político. Aldo Fabrizi, actor. Aldous Huxley, escritor.

ALEJANDRA:

Derivado de Alejandro.

Rasgos característicos: la pasión las envuelve y no escuchan los consejos de nadie. Se dejan llevar por la fuerza de su temperamento, siendo lo más importante ver realizados sus deseos. Se sienten inmensamente felices cuando obtienen lo que quieren. Odian las recomendaciones y los sermones. Es personal hasta la agresividad, no agradándole que los demás se interpongan en sus proyectos. Está expuesta a resentimientos con familiares y amigos.

Personaje célebre: Alejandra, emperatriz de Rusia y esposa del zar Nicolás II.

ALEJANDRO:

En francés: Alexandre.

En inglés: Alexander.

En alemán: Alexander.

En italiano: Alessandro.

Etimología: del griego, quien rechaza a los enemigos, el protector.

Rasgos característicos: vuelan alto, son ambiciosos, les gusta la gloria y ponen todo su empeño en triunfar donde los demás fracasan. Son muy abnegados, afectuosos y dispuestos a servir a los seres amados. En el amor, huyen del sentimentalismo y de las efusiones exageradas, pero no se rebajarían bajo ningún pretexto a una traición. Adoran a los niños, y una vez casados, se dedican por completo a su hogar.

Santos: San Alejandro I, papa y mártir. San Alejandro, obispo de Jerusalén, discípulo y amigo de Orígenes, muerto en la cárcel. San Alejandro, patriarca de Alejandría en el siglo IV, que luchó contra la herejía de Arrio.

Personajes célebres: ocho papas han llevado este nombre, que también ha pertenecido a varios reyes de Macedonia (entre los que figuran Alejandro el Grande), zares de Rusia, reyes de Serbia y de Grecia, y especialmente a Alejandro I de Yugoslavia. Alexandre Jagellon, gran duque de Lituania y rey de Polonia. Alexandre Dumas, novelista francés.

ALEJO:

En francés: Alexis.

En inglés: Alexis.

En alemán: Alexius.

En italiano: Alessio.

Etimología: la misma que para Alejandro.

Santo: San Alejo, de una familia patricia muy rica de la Roma del siglo IV; renunció a las riquezas, hizo una peregrinación a Tierra Santa y a su regreso vivió pobremente en la casa paterna. Patrón de los mendigos.

Personajes célebres: nombre de varios emperadores de Constantinopla.

Obra: *La vie de Saint Alexis*, poema del siglo XI.

ALFONSO:

En francés: Alphonse.

En inglés: Alphonsus.

En alemán: Alfons.

En italiano: Alfonso.
Etimología: del alto alemán, hombre de acción noble.
Rasgos característicos: tienen una inteligencia vivaz, mucho amor propio e ideas personales a las que se aferran mucho. Son refinados, espirituales, sin maldad, aunque tienen tendencia a la pereza.
Santos: San Alfonso María de Ligorio, abogado napolitano y obispo, fundó la congregación de los Redentoristas y murió en 1787. San Alfonso Rodríguez, jesuita español (1528-1616).
Personajes célebres: Varios reyes de Nápoles, de Aragón, de Portugal y de España. Alphonse de Lamartine, poeta francés. Alphonse Daudet, novelista y dramaturgo francés. Alfonso I, fundador del reino de Portugal en 1139. Alfonso, hermano de San Luis, conquistador del reino de Tolosa.
Obra: *Monsieur Alphonse*, comedia de Alexandre Dumas.

ALFREDO:

En francés: Alfred
En inglés: Alfred, Fred
En alemán: Alfred
Etimología: del alto alemán, apacible. Forma bretona del nombre Auffret.
Rasgos característicos: son reflexivos, tranquilos, solitarios y taciturnos, pero obstinados con frecuencia. Muy románticos, complacientes y detestan la ostentación.
Santo: San Alfredo, obispo de Hidelsheim, en Hannover, muerto en el 896.

Personajes célebres: Alfredo el Grande, el más célebre de los reyes anglosajones (848-899), fundador también de la universidad de Oxford. Alfred de Vigny, escritor francés. Alfred de Musset, escritor francés. Alfred Hitchcock, escritor y realizador.

ALICIA:

En francés: Alice.
En inglés: Alice.
En alemán: Alix.
En italiano: Alissia.
Rasgos característicos: tienen respeto por su persona y saben sacar partido con facilidad de las cosas, de los acontecimientos y de sus amigos. Tienen habilidad para aprovechar sus recursos intelectuales. Son de carácter independiente, pero poseen temperamentos dominadores.
Santa: Santa Alicia, mártir en Nicodemia, bajo el emperador Diocleciano.
Personaje célebre: Alix de Champagne, esposa de Luis VII, rey de Francia, madre de Felipe Augusto.
Obra: *Alicia en el país de las maravillas*, de Lewis Carroll.

ALMUDENA:

Etimología: del árabe *al-medina*, «la ciudad». Una de las muchas advocaciones marianas españolas, popularizada por pertenecer a la Virgen patrona de Madrid.

ÁLVARO:

Etimología: del germánico, identificado con Alberinco. Más probablemente, de *all-wars*, «totalmente sabio, precavido».
Nombre muy popular en Castilla en la Edad Media y Moderna.
Personaje célebre: Álvaro de Bazán, almirante.

AMABLE:

Rasgos característicos: saben granjearse la estima y la simpatía; se lo deben a su carácter fácil, a pesar de cierta tendencia a la envidia y a la crítica. Tienen una inteligencia rápida, amplia y sintética.

AMADA:

Femenino de Amado.
Santa: Santa Amada, virgen, vivió en Champaña.

AMADEO:

En francés: Amédée.
En alemán: Amadeus.
En italiano: Amadeo.
Etimología: del latín, que ama a Dios.
Rasgos característicos: de una inteligencia muy viva, se ven llevados hacia las cosas elevadas. Se dejan distraer fácilmente, pero saben lo que quieren.
Personajes célebres: Bienheureux Amédée IX, duque de Saboya (1435-1472). Wolfgang Amadeo Mozart, compositor austriaco. Amédée Achard, escritor francés.

AMADO:

En francés: Aimé.
En inglés: Amy.
En alemán: Amatus.
Etimología: del latín, amado. Se utiliza desde comienzos del cristianismo.
Santo: San Amado, arzobispo de Sens, muerto en el año 690.

AMANCIO:

Personaje célebre: obispo de Rodez.

AMANDA:

Rasgos característicos: muy contradictorias en su temperamento, son por momentos audaces y por momentos tímidas; a veces se muestran con ideas amplias y comprensivas y otras veces con una marcada estrechez de espíritu. Son francas en su actitud frente a la vida, demostrando en todo momento lo que sienten. Dualidad de temperamento que las hace vacilar continuamente en sus elecciones y preferencias. El excesivo amor propio con que pretenden ocultar sus debilidades, es lo que las perjudica hasta llegar a perder la fortuna y las posibilidades de éxito que la vida les ofrece.

AMARO:

Variante portuguesa de Mauro, aplicada especialmente a un santo discípulo de San Benito de Nursia. También es usado como variante de Audomaro, especialmente en Burgos.
Santo: San Amaro, peregrino francés del siglo XIII.

AMBROSIO:

En francés: Ambroise.
En inglés: Ambrose.
En alemán: Ambrosius.
En italiano: Amrozio o Ambrogio.
Etimología: del griego, divino, inmortal.
Santo: San Ambrosio, arzobispo de Milán en el siglo IV, hizo volver a San Agustín a la fe, reformó el canto sagrado y creó el rito ambrosiano.
Personajes célebres: Ambroise Paré, cirujano francés. Ambroise Thomas, compositor de *Mignon.*

AMELIA:

En francés: Amélie.
En inglés: Amelia, Amely y Emily.
En alemán: Amalia o Amalberga.
Etimología: del griego, negligencia.
Rasgos característicos: aparente tranquilidad y seguridad. Se adaptan con dificultad al medio, haciendo lo contrario de lo que deben hacer en cada situación, aunque cuando deciden seguir un camino llegan hasta el final, salvando todos los inconvenientes. A menudo se ocultan la verdad a sí mismas. De voluntad engañosa, aunque firme.

AMIEL:

Etimología: del hebreo. Reiterativo: *ammi-el*, ambas partículas significan «Dios». Para otros intérpretes, «Dios es mi pueblo».
Obra: Personaje de *Darío.*

AMÓS:

Personaje célebre: el primero de los profetas escritores de la Biblia.

AMPARO:

Etimología: del latín *Manuparare*, «tender la mano, proteger».

Nombre muy popular en toda España, pero especialmente en el País Valenciano, cuya capital tiene por patrona a la Virgen de los Desamparados.

ANA:

En francés: Anne.
En inglés: Ann.
En alemán: Anna .
En italiano: Anna.
Etimología: del hebreo, bienhechora, graciosa.
Rasgos característicos: con una gran inteligencia y bien equilibradas, son notables. Graciosas, amables y diligentes. Están hechas para la vida amorosa. De naturaleza delicada, a veces sienten la necesidad de entregarse a cualquier empresa. Son de una fuerte vitalidad, aunque por la mañana, si se sienten de mal humor, están dispuestas a deshacerse en lágrimas, mientras que por la tarde, son de una elocuencia extraordinaria y están dispuestas a combatirlo todo para conseguir lo que desean.
Santas: Santa Ana, madre de la Santa Virgen. Es la santa patrona de los carpinteros, de los curtidores, de los guanteros y de los perfumeros. Tres ciudades de Canadá la han elegido

oficialmente como patrona: Quebec, Montreal y Ottawa.

Personajes célebres: varias princesas de Rusia, de Francia y de Inglaterra. Anne de Beaujeu, hija de Luis XI y regente del reino de Francia. Ana de Austria, esposa de Luis XIII y reina de Francia. Ana Bolena, madre de la gran Isabel y segunda mujer de Enrique VIII de Inglaterra. Ana de Cleves, cuarta esposa de Enrique VIII. Anna Magnani, actriz italiana.

Obra: *Anna Karenina*, novela de Tolstoi.

ANABEL:

Adaptación castellana del nombre escocés *Annabel*, en realidad anterior a Ana, pero considerado hoy como una variante de este nombre.

ANACLETO:

Etimología: del griego, *anakletos*, «llamado, solicitado», y también, metafóricamente, «resucitado». Nombre corriente en los primeros siglos del cristianismo.

Santo: San Anacleto, papa del siglo I.

ANANÍAS:

Etimología: del hebreo *hannah*, «compasión», con la partícula *iah*, que alude figuradamente a Jahvé, cuyo nombre era impronunciable por respeto. *Han-nan-iah*, «Dios se apiada» (los mismos elementos, en orden inverso, forman el nombre Juan).

Personajes célebres: en la Biblia, uno de los compañeros de Daniel.

ANASTASIA:

Femenino de Anastasio.

Etimología: del latín, formado a partir del griego.

Santa: Santa Anastasia, romana, mártir en el siglo VI. Fue catequizada por San Jerónimo. Fue deportada a la isla de Palmaruola, donde sufrió el suplicio del fuego. Su cuerpo fue enterrado en Roma, en la iglesia que todavía lleva su nombre.

ANASTASIO:

Etimología: del latín, formado a partir del griego, rebelado, que se subleva.

Santos: San Anastasio, persa convertido que se llamaba Magunda antes de su bautismo, evangelizó Asiria y fue martirizado bajo el emperador Chosroes II, en el 628. San Anastasio I, papa, a finales del siglo IV. Cuatro papas han llevado este nombre.

ANDREA:

Etimología: del griego.

Rasgos característicos: son personas exageradas, de una gran emotividad y muy activas. Tienen tendencia a la originalidad rozando la extravagancia, y poseen una gran fuerza de voluntad. Serviciales, complacientes, aunque bastante susceptibles, se encierran fácilmente en sí mismas cuando alguien las ha herido. Son sociables.

ANDRÉS:

En francés: André.
En inglés: Andrew.
En alemán: Andreas.
En italiano: Andrea.
Etimología: del griego, viril, valiente.
Rasgos característicos: son muy inteligentes y realizadores. Les gusta hacer alarde de ideas personales, originales e imprevistas. Tienen una opinión tenaz. Son muy económicos y no muy generosos con los demás. Son serviciales, complacientes y más bien exigentes en el amor. Conceden mucha importancia a una fidelidad absoluta.
Santos: San Andrés, hermano de San Pedro, uno de los doce apóstoles. Fue martirizado y atado a una cruz en forma de X, forma que se conoce desde entonces como «cruz de San Andrés». Patrón de Escocia y de los pescadores. Hermano Andrés del Oratorio de San José, en Montreal. Personajes célebres: André Gide, escritor francés. André Chénier, poeta francés. André Malraux, escritor francés. André Maurois, escritor francés. André Masséna, mariscal de Francia. André-Marie Ampere, ilustre físico francés. Andrea del Sano, pintor italiano de principios del siglo XVI. Nombre que han llevado varios reyes de Hungría.
Obras: *André,* de Georges Sand. *André Cornelis*, de Paul Bourget.

ÁNGEL:

Etimología: del griego, mensajero.

Santo: San Ángel, religioso carmelita, martirizado en Sicilia en el siglo XIII.

ÁNGELA:

En francés: Angéle.

En inglés: Angela.

En alemán: Angelika.

Etimología: del griego, mensajero.

Rasgos característicos: se interesan por todo, están llenas de imaginación y les gusta aparentar que lo saben todo. Tienen un espíritu vivo y les gusta aprender siempre más. A menudo son exaltadas, les gusta la broma y no les agrada que les metan prisa.

Santa: Santa Ángela de Merici, virgen, fundadora de la Congregación de las Ursulinas, muerta en 1540.

Obra: *La Bella Angélique*, heroína del Ronald furioso de Ariosto. *Angéle*, de Henry Gréville. En el teatro de Moliére, Angélique personifica a la ingenua melancólica y amargada.

ANGELINES, ANGÉLICA:

Derivados de Ángela.

Personaje célebre: la beata Angelines de Corbara, fundadora de las religiosas enclaustradas de la tercera orden de San Francisco, en el siglo XVI.

ANGUSTIAS:

Etimología: del latín *angustus*, «angosto, difícil». Advocación mariana granadina, alusiva a la aflicción de la Virgen durante la Pasión. Sinónimo de Dolores.

ANÍBAL:

Etimología: nombre fenicio-cartaginés, *hanan-baal*, «gracia, beneficio de Raal», dios púnico. Inmortalizado por el caudillo vencedor de los romanos y vencido al fin por Escipión. Con todo, su fama en EE.UU. se debe al nombre del pueblo natal de Samuel Longhorne Clemens, más conocido como Mark Twain.

ANICETO:

Etimología: del latín, formado a partir del griego, no vencido.

ANITA:

Diminutivo de Ana.

Rasgos característicos: nombre de influencia misteriosa para quien lo lleva. Otorga tendencia a la mediumnidad y hacia lo supraterreno o irreal. Encierra en sí cierto hechizo oriental que lo hace sugestivo y enigmático, brindando un clima de misterio a la mujer que lo lleva.

Personaje célebre: Anita Ekberg, actriz del cine americano.

ANSCARIO:

Etimología: del germánico *ans-gair*, «lanza de Dios». Es la versión tradicional de Oscar, desplazada en los últimos años por ésta.

ANSELMO:

En francés: Anselme.
En inglés: Anselm.
En italiano: Anselmo.
Etimología:del alto alemán, el que lleva el casco de Dios.
Santo: San Anselmo, nacido en 1033, monje de la abadía de Bec-Hellouin, en Normandía (Eure) y posteriormente arzobispo de Canterbury, muerto en 1109.

ANTONIO:

En francés: Antoine.
En inglés: Anthony.
En alemán: Antonitis o Anton.
En italiano: Antonio.
Etimología: del griego, que planta cara a sus adversarios; o del latín, inestimable.
Rasgos característicos: sus rasgos dominantes son el sentido común, la iniciativa, la lealtad, la franqueza y la perseverancia. Poseen gustos artísticos y son dados a la meditación poética. Manifiestan su interés por la música, la pintura y la filosofía. Se toman el amor muy en serio, son muy fieles y pronto se apegan a una persona. Revelan también algunos defectos, como la falta de sentido práctico y la pretensión, alardeando algunas veces de una actitud de superioridad.
Santos: San Antonio el Grande, patriarca de los primeros ermitaños, patrón de los confiteros, de los porqueros, de los cesteros, de los guanteros, de los carniceros, de los charcuteros y

de los tratantes en granos. San Antonio de Padua, franciscano nacido en Lisboa en 1193, eminente teólogo, apodado «el martillo de los herejes» y predicador muy popular. Patrón de Portugal, invocado para recuperar los objetos perdidos.

Personajes célebres: Marco Antonio, amante de Cleopatra, célebre general romano. Antonio Van Dyck, pintor flamenco. Antoine-Laurent de Lavoisier, químico francés. Antonio Rubinstein, pianista y compositor ruso. Antoine de Saint-Exupéry, aviador y célebre escritor francés.

ANUNCIACIÓN:

Etimología: del latín *annuntiatio*, de *ad-nuntio*, «informar a, anunciar». Es muy usada la variante Anunciata, tomada directamente de la forma latina.

Nombre mariano, evocador de la Anunciación de la Virgen María.

APOLINAR:

Etimología: Apolo era la divinidad romana de la luz del sol y protector de las artes. Parece que su origen está en *Ap*, «lejos» y *Ollymi*, «perecer», es decir, «el que aleja la muerte», apelativo dado en agradecimiento por haber salvado a Atenas de una peste. Otros intérpretes lo relacionan con el verbo *Apollumi*, «destruir», e incluso con la voz germánica *Apfel*, «manzana». El nombre dio en una gran cantidad de derivados como consecuencia de su fama: Apolíneo, Apolino,

Apolodoro, Apolófanes, Apolonio y Apolinar o Apolinario, «consagrado, relativo a Apolo».

ARACELI:

Advocación de la Virgen.

Etimología: del latín, *ara coeli*, «altar del cielo». Nombre popularizado en Italia por un santuario con este nombre en la cima del monte Capitolio, en Roma, en la antigua ubicación del templo pagano de Júpiter Capitolino.

ARÁNZAZU:

Advocación vasca de la virgen: Nuestra Señora de Arantzazu, apelativo compuesto de *ara-antz-a-zu*, «sierra de abundantes picos», topónimo que corresponde a la realidad geográfica de Oñate (Guipúzcoa), sede del santuario. La etimología popular traduce el nombre por *aranrz-an-zu*, «tú en el espino», aludiendo a la forma en que se apareció milagrosamente la Virgen.

ARCADIO:

Gentilicio de la Arcadia, provincia griega del Peloponeso, tierra de gran feracidad que mereció el sobrenombre de «feliz». Allí se veneraban diversas deidades, como Pan y la ninfa Aretusa.

ARCHIBALDO:

Etimología: del anglosajón, procedente del antiguo nombre Erquembaldo, hoy abandonado, aunque presente en otros derivados como Aribaldo. De *ercan*, «sincero, genuino», y *bald*, «valiente, audaz». Popular en la Edad Media y luego abandonado, conoce hoy una importante revitalización.

ARDUINO:

Etimología: nombre típicamente germánico, formado con la palabra *hard*, «fuerte, duro» y el sufijo *win*, «amigo», o simplemente una adjetivación. El adjetivo «fuerte» es uno de los más corrientes en nombres masculinos.

ARIADNA:

Etimología: del griego *ari-adné*, «muy santa». Nombre que goza actualmente de un fuerte apogeo, frecuentemente confundido con Ariana, de origen similar.

Personaje célebre: hija de Minos, desdichada amante de Teseo, que dio a éste un ovillo para poder orientarse en el laberinto del Minotauro.

AQUILES:

Etimología: del griego, el de los bellos labios.

Rasgos característicos: voluntad firme, confianza en sí mismo y gusto por el estudio. Sensibilidad ardiente y carácter brusco por momentos, aunque generalmente agradable. Saben presentarse en público y tienen la astucia suficiente para hacerse ricos.

ARÍSTIDES:

Etimología: del latín, forma del griego, el mejor.

Rasgos característicos: sus características son el ardor y una plena confianza en sí mismos.

Santo: San Arístides, filósofo ateniense del siglo II convertido al cristianismo.

Personajes célebres: este nombre lo ha llevado uno de los mejores y más ilustres ciudadanos de Atenas en la antigüedad. Arístides Briand, político francés. Arístides Boucicaut, filántropo francés.

ARMANDO:

En francés: Armand.

En italiano: Armando.

No se utiliza en los países germánicos o anglosajones.

Etimología: del latín, estar armado.

Rasgos característicos: sus rasgos característicos son una inteligencia razonadora y calculadora, un espíritu positivo y escéptico y una voluntad de hierro. Bromistas y espirituales, son de fácil elocución, y su buena memoria les permite acordarse fácilmente de los más pequeños detalles. Se adaptan con facilidad a todo tipo de empleos. Son afectuosos y su necesidad de comprensión les arrastra a situaciones trampa donde se dejan coger fácilmente.

Personaje célebre: Armand Salacrou, dramaturgo francés.

ARNALDO:

Etimología: del germánico *arin-ald*, «águila gobernante», o figuradamente, «caudillo fuerte», por las virtudes simbólicas del águila. Nombre en desuso en la Edad Moderna y resucitado hoy. Confundido a veces con Arnulfo.

ARSENIO:

Etimología: del griego, macho.

Santo: San Arsenio, preceptor en primer lugar de Ardadin, hijo del emperador Teodoro el Grande.

Personaje célebre: Arsene de Arsonval, físico francés.

Obra: *Arsene Lupin*, personaje novelesco de Maurice Leblanc.

ARTURO:

En francés: Arthur.

En inglés: Arthur.

En alemán: Arthur.

Etimología: insegura. Tal vez del celta y significaría «piedra» u «oso».

Rasgos característicos: de aspecto reservado, pero seguros de sí; van al fondo de las cosas y no abandonan fácilmente un asunto que hayan emprendido. Están llenos de sangre fría y tenacidad; tienen un carácter mínimamente influenciable y un corazón profundo.

Personajes célebres: Arturo es un rey legendario del país de Gales, en el siglo IV. El venerable Arthur Bell, franciscano, martirizado en Inglaterra en el siglo XVII. Arturo Toscani, célebre director de orquesta italiano. Arthur Rimbaud, poeta simbolista. Arthur Schopenhauer, filósofo alemán. El príncipe Arthur de Connaught, hijo de la reina Victoria.

ASPASIA:

Etimología: del griego *aspasla*, «bienvenida, deseada», posiblemente aplicado como fórmula natalicia de buen augurio.

Personaje célebre: nombre inmortalizado por la amante de Pericles, el político griego que dio nombre a la época de mayor esplendor cultural de su país.

ASTRID:

Etimología: forma nórdica de Anstruda. Ansttrud, «fuerza de Dios».

Personaje célebre: Astrid de Bélgica, reina en el primer tercio del siglo XX.

ASUNCIÓN:

Etimología: del latín *assumo*, «atraer hacia sí, asumir». Nombre hispano inspirado en la conmemoración del tránsito de la Virgen «asumida» por Dios.

ATANASIO:

Etimología: del latín, formado a partir del griego, inmortal.

Santo: San Atanasio, patriarca de Alejandría, uno de los padres y doctores más ilustres de la Iglesia; fue desterrado cinco veces y luchó contra la herejía de Arrio, murió en el 373.

ATAÚLFO:

Variante de Adolfo.

Personaje célebre: rey godo, esposo de Gala Placidia y primer monarca español efectivamente independiente.

ATOCHA:

Etimología: nombre de una advocación mariana, madrileña. Se sostiene que la imagen primitiva traída a Madrid fue venerada en una ermita contigua a unos atochales (campos de esparto, por el árabe *taucha*, «esparto»). Quizás sea más acertado suponer la palabra una deformación de Antioquía, supuesta procedencia de la imagen de la Virgen.

AUGUSTO:

En francés: Auguste.
En inglés: Augustus.
En alemán: August.
En italiano: Augusto.
Etimología: del latín, consagrado por los augurios, majestuosos o que se incrementan.
Rasgos característicos: son bien equilibrados, inteligentes y comprenden bien los problemas de la vida. Son de naturaleza franca, amorosa y afectuosa. Antes de lanzarse a lo que sea, reflexionan ampliamente y a continuación acometen el problema. Su único defecto es la susceptibilidad.
Santo: San Augusto, que vivió en Bourges en el siglo VI.
Personajes célebres: Augusto, primer emperador romano. Auguste Comte, matemático y filósofo francés. Auguste Rodin, escultor francés. Auguste Piccard, físico suizo.
Obra: Corneille puso a Augusto en escena en *Cinna o La Clémence d'Auguste.*

ÁUREA:

Etimología: del latín *aureus*, «de oro, dorado» y, figuradamente, «encantadora, bella», por referencia a Venus, denominada con este apelativo por la riqueza de sus templos.

Santo: Santa Aurea, famosa mártir degollada en Sevilla en el siglo IX, conocida también por Oria y cantada por Gonzalo de Berceo.

AURELIA:

Rasgos característicos: espontáneas y rebeldes en todas sus manifestaciones, poseen una gran virtud: la lealtad. Son fieles a sus amigos y en el amor, lo que les hace muy queridas entre las personas que las rodean.

Santas: Santa Aurelia, virgen romana del siglo III, martirizada en tiempos del emperador Valeriano. Santa Aurelia, hija de Hugo Capeto y hermana del rey Roberto.

AURELIO:

Etimología: del latín, el que brilla.

Santos: San Aurelio, obispo de Cartago en el siglo IV. San Aureliano, arzobispo de Arles, mártir del siglo VI.

AURORA:

Etimología: del latín.

Rasgos característicos: son soñadoras, novelescas y graciosas.

Personajes célebres: Diosa de la aurora en los griegos y romanos, siempre enamorada y denominada «Aurora con dedos de rosa». Aurora de Koenigsmark, madre del mariscal de Sajonia y abuela de George Sand.

AUXILIADORA:

Advocación de la Virgen creada y popularizada por San Juan Bosco, que se inspiró en la jaculatoria de las letanías *Atailium Chrisrianorum*, «auxilio de los cristianos», añadida por el papa San Pío V después de la victoria de Lepanto. Similar a otras advocaciones, como Socorro, Sufragio, Amparo...

AVELINA:

De San Andrés Avelino, siglo XVII, cuyo apellido aludía a su ciudad natal, Avellino, capital de la italiana región de Abella (de donde se originó el nombre de las avellanas, o «nueces de Abella»).

AZARÍAS:

Etimología: del hebreo, formado con la raíz *azo azaz*, «fuerte», y el sufijo *-iah*, «Dios»: «socorro, auxilio de Dios».

Personaje célebre: compañero de Ananías y Misael, arrojado a un horno por negarse a adorar la estatua del rey Nabucodonosor.

BALDOMERO:

Etimología: del germánico *bald-miru*. *Bald*, «audaz, valiente»; *miru*, «ilustre, insigne». Antaño muy popular, hoy algo en desuso.

BALDUINO:

En francés: Baudouin o Baudoin.
En inglés: Baldwin y Bowden.
En alemán: Baldwin.
Etimología: del alto alemán, compañero valiente y alegre.
Rasgos característicos: están dotados de una naturaleza firme, aunque encerrada. Carecen de sentimentalismo y son obstinados.
Santo: San Balduino, hijo de San Blandin y de Santa Salaberge, canónigo en Laon, asesinado hacia el 677.

Personajes célebres: nueve condes de Flandes y seis condes de Hainaut, entre los que figura Balduino de Jerusalén. Balduino I, rey de Bélgica.

BALTASAR:

Etimología: del asirio.

Santo: San Baltasar, uno de los tres Reyes Magos que se supone fueron bautizados por Santo Tomás.

Personaje célebre: el último rey de Babilonia.

Obra: el pastor Baltasar, personaje de *L'Arlésienne,* de Alfonso Daudet.

BÁRBARA:

En francés: Barbe.

En inglés: Barbara.

En alemán: Barbara.

En italiano: Barbara.

Etimología: del latín, la extranjera.

Rasgos característicos: tienen una inteligencia por encima de la media; son de naturaleza sentimental y están exentas de caprichos; pueden ser refunfuñonas.

Santa: Santa Bárbara, virgen y mártir, en Nicomedia, hacia el año 235; su propio padre le cortó la cabeza. Patrona de la muerte, de los mineros, de los canteros, de los artilleros, de los armeros, de los arquitectos, de los marineros, de los zapadores y de los cocineros.

Personaje célebre: Bárbara Streisand, estrella del cine americano.

BARTOLOMÉ:

En francés: Barthélemy o Barthélemi.
En inglés: Bartholomew.
En alemán: Bartholomoeus.
En italiano: Bartolomeo.
Etimología: del arameo, hijo del que detiene las aguas.
Rasgos característicos: son de naturaleza ordenada y de carácter fácil, pero tienen tendencia a la envidia y a la crítica. Tienen sentido de la justicia, lo cual les libra de las intrigas.
Santo: San Bartolomé, apóstol, nacido en Caná, Galilea; predicó el Evangelio en Oriente hasta los límites de la India. Patrón de los curtidores, de los carniceros y de los sastres.
Personajes célebres: Bartolomé Díaz, navegante portugués que descubrió el Cabo de Buena Esperanza y fue el primero en dar la vuelta a África por el sur.

BASILIO:

Etimología: del latín, formado a partir del griego, rey.
Rasgos característicos: tranquilos, comedidos y reflexivos. Su defecto es la falta de tacto y de finura.
Santo: San Basilio el Grande, doctor de la Iglesia, arzobispo de Cesárea, en Capadocia, hijo de Santa Emilia y de San Basilio el Antiguo.
Obra: *Basilio*, personaje de *El Barbero de Sevilla*, de Beaumarchais.

BAUDILIO:

Etimología: desconocida, quizá relacionada con *raudas*, «bobo» en latín arcaico. Aunque parece innegable la presencia, quizá por atracción fonética, del céltico *raid*, «victoria». Muy popular en Cataluña Bajo las formas de *Baldiri* y *Boi*. Y del mismo significado, admitida la hipótesis céltica, serían Almanzor, Aniceto, Esteban, Lauro, Nicanor, Siglinda y Víctor.

BAUTISTA:

En francés: Baptiste.
En inglés: Baptist.
En alemán: Baptist.
En italiano: Battista.
Etimología: del griego, el que se sumerge en el agua, el que bautiza. Originariamente no es un nombre, sino el sobrenombre dado a Juan, que Bautizó a Jesús en el Jordán. El nombre primitivo completo era Juan Bautista.
Rasgos característicos: son sencillos, llenos de bondad y fáciles de engañar. Puntuales, razonables y dominan por la rectitud de su corazón.
Santo: San Juan Bautista es el patrón de los canadienses franceses.
Personajes célebres: Juan Bautista Poquelin (Molière), escritor cómico francés. Baptiste Debureau, célebre mimo del siglo pasado.

BEATRIZ:

En francés: Béatrice o Béatrix.
En inglés: Beatrice.
En alemán: Beatrice.
En italiano: Beatrice.
Etimología: del latín, bienaventurada.

Rasgos característicos: de inteligencia abierta y clara; poseen una gran dignidad moral; a menudo son originales y no vacilan en lanzarse a una vida tumultuosa. Poseen gustos artísticos, están llenas de confianza en sí mismas, no se ponen en guardia suficientemente contra las desilusiones.

Santas: Santa Beatriz, romana, martirizada con sus hermanos en el siglo IV. Sor Beatriz de Este, beata, casada al principio, y que después de enviudar, entró en las Benedictinas; murió en 1262.

Personajes célebres: unas cuantas princesas. Beatriz Portinan, la florentina que Dante amó con un amor ideal y que le inspiró para su *Divina Comedia.* La princesa Beatriz de los Países Bajos.

BEGOÑA:

Etimología: nombre vasco popularísimo, compuesto de *beg-oin-a*, «lugar del cerro dominante», aplicado a la situación topográfica del santuario de la Virgen correspondiente.

El nombre no tiene nada que ver con Begonia (tomado del de una flor dedicada al naturalista Bégon).

BELÉN:

Etimología: del hebreo *bet-lehem*, «casa del pan», que dio nombre a la localidad palestina en que nació Jesucristo (hoy Beitel-Lahm).

Utilizado como nombre de pila femenino.

BELINDA:

Etimología: nombre germánico compuesto de *bern*, «oso» y *lind* «escudo»: «defensa del guerrero». Por influencia de los usos anglosajones, el nombre ha pasado paulatinamente a ser considerado como una variante de Belén.

Personaje célebre: esposa de Rolando, célebre paladín franco.

BENIGNO:

Etimología: del latín, generoso, condescendiente.

Santo: San Benigno, apóstol de Borgoña en el siglo II, martirizado en Dijon hacia el 179.

Personaje célebre: segundo nombre del escritor Jacques Bénigne Bossuet.

BENITA:

En francés: Benoîte.

En inglés: Bennet.

En alemán: Benedikta.

En italiano: Benedetia.

Femenino de Benito.

BENITO:

En francés: Benoît.

En inglés: Benedict.

En alemán: Benedikt.

En italiano: Benito y Benedetto.

Etimología: del latín, bien dicho, bendito.

Rasgos característicos: son de naturaleza complaciente, de carácter voluble y un poco hipócritas.

Santos: San Benito, abad, fundador del célebre monasterio de Montecassino y de la orden de los

Benedictinos en el siglo VI, patriarca de los monjes de Occidente. Patrón de Europa, de los espeleólogos, arquitectos, agricultores, caballistas y conductores de máquinas. San Benito de Aniane, restaurador de la disciplina monástica en el imperio carolingio.

Personajes célebres: quince papas, uno de los cuales fue canonizado. Benito Mussolini, dictador italiano.

BENJAMÍN:

Etimología: del hebreo, hijo predilecto.

Rasgos característicos: Son generosos, afectuosos, amables y aduladores. En cambio, son un poco caprichosos y no les agrada preocuparse por la vida.

Santo: San Benjamín, diácono, martirizado en Persia en el siglo V.

Personajes célebres: Benjamin Constant de Rebecque, político y escritor francés. Benjamin Franklin, inventor del pararrayos. Benjamin Disraëli, novelista y hombre de Estado británico.

BERENGUER / BERENGUELA:

Etimología: del germánico *berin-gari,* «lanza del oso». O sea «del guerrero». O de *warin-gari*, «lanza protectora».

Personajes célebres: Forma catalana de Berengano, resucitada en los últimos años quizá en recuerdo de los primeros Condes de Barcelona, en los siglos XI-XII. Reina de León en el siglo XII.

BERENICE:

Etimología: de la forma macedonia del griego *phrerenike*, «portadora de victoria», asimilado posteriormente a Verónica.

Personaje célebre: princesa egipcia, esposa de Ptolomeo III Evergetes, que mereció le fuera dedicado el nombre de una constelación austral, la Cabellera de Berenice.

BERNABÉ:

Etimología: del arameo, hijo de la consolación.

Rasgos característicos: son flexibles, sólidos y con sangre fría. Siguen una línea recta, sin cambios intempestivos.

Santo: San Bernabé, uno de los setenta discípulos, colaborador de San Pablo en las misiones de Asia Menor; fue lapidado por los judíos y martirizado en Salamina. Patrón de Chipre y de los tejedores.

Personaje célebre: Bernabé Brisgon, magistrado francés.

BERNARDA:

En francés: Bernadette o Bernarde.

En inglés: Bernardette.

En alemán: Berharde.

En italiano: Bernardetta.

Etimología: del alto alemán.

Rasgos característicos: están dotadas de una personalidad muy fuerte y se sienten atraídas por las cosas espirituales y por los trabajos intelectuales. Tienen buen corazón, mucho valor y son modestas. Brillan en sociedad, buscan su camino lealmente y luego van hacia adelante con la sonrisa en los labios. Gustan a su entorno y generalmente se busca su compañía. Cuando se deciden a amar, lo hacen profunda, tranquila y seriamente, y están llamadas a conocer la felicidad en el matrimonio.

Santa: Santa Bernarda, o María Bernarda, llamada Bernardette Soubirous (1844-1879), hija de un pobre molinero de Lourdes, a quien la Santa Virgen se le apareció varias veces a orillas del Gaye, donde hoy se encuentra el célebre santuario.

BERNARDINO:

Etimología: la misma que para Bernardo.

Santo: San Bernardino de Siena (1380-1444), de la orden de los Hermanos Menores; se dedicó al servicio de los enfermos durante la peste que hizo estragos en Siena en 1400. Patrón de los publicistas y de los periodistas.

Personaje célebre: Bernardin de Saint-Pierre, escritor francés, autor de *Paul et Virginie*.

BERNARDO:

En francés: Bernard.

En inglés: Bernard.

En alemán: Bernhard.

Etimología: del alto alemán, oso, osado.

Rasgos característicos: los mismos que para Bernarda.

Santos: San Bernardo (1091-1153), abad de Clairvaux, fundador de la orden de los Bernardinos. San Bernardo de Menthon (923-1008), fundador de los dos orfanatos de Mont-Saint Bernard. Patrón de los alpinistas y de los esquiadores.

Personajes célebres: Bernard Shaw, dramaturgo irlandés. Bernard Palissy, ceramista francés del siglo XVI.

BERTA:

En francés: Berthe.

En inglés: Bertha.

En alemán: Bertha.

En italiano: Berta.

Etimología: del alto alemán, ilustre, brillante.

Rasgos característicos: tienen una buena memoria, una inteligencia media, un carácter amable, un espíritu práctico y mucho gusto. Son de naturaleza alegre, con un temperamento lleno de vivacidad. Son generosas y les gusta demostrar la amistad con numerosos regalos y otros signos de simpatía hacia sus amigos. Son buenas amas de casa y les gustan los trabajos de interior; son leales y sensuales. Generalmente se casan tarde o se quedan solteras.

Santas: Santa Berta, viuda, fundadora y abadesa del monasterio de Blangy, en Artois, en el siglo VII. Santa Berta, esposa de Gomben, primera abadesa y fundadora del monasterio de Avenay, cerca de Reims, mártir en el 680.

Personajes célebres: Berta la del pie grande, madre de Carlomagno. Berta de Borgoña, esposa de Roberto, rey de Francia.

BERTÍN:

Etimología: del alemán.

Rasgos característicos: en conjunto muy tranquilos, rechazan el contacto con la vida y se encierran en sí mismos. Afectuosos, fieles, leales, no son presuntuosos y se adaptan con facilidad. Su punto débil es la glotonería.

BERTRÁN:

En francés: Bertrand.

En inglés: Bertram.

En alemán: Bertram.

En italiano: Bertrando.

Etimología: del alto alemán, el cuervo brillante.

Rasgos característicos: son combativos, violentos a veces. Se inclinan más por la vida activa que por las especulaciones intelectuales. Son muy inteligentes y sus facultades abarcan un gran número de temas. Son muy persuasivos y es raro que no consigan convencer a sus interlocutores.

Santo: San Bertrán de Comminges, segundo fundador y obispo de esta ciudad, muerto en 1123.

Personaje célebre: Bertrand de Bar-sur-Aube, poeta francés.

BETSABÉ:

Etimología: del hebreo *bat-sheva*, «séptima hija» (para otros, de *bat-seva*, «la opulenta»).

Personaje célebre: bíblica esposa de Urías y causa de la muerte de éste tras ser seducida por David.

BIENVENIDO:

Etimología: del latín, que llega bien.

Personaje célebre: San Bienvenido de Gubbis, discípulo de San Francisco, muerto en Corneto, en Apulia, en 1232.

BLANCA:

En francés: Blanche.

En inglés: Blanche.

En alemán: Bianka.

Etimología: del alemán, brillante, pura.

Rasgos característicos: son de naturaleza un poco fantástica y se dejan llevar por su imaginación. Con frecuencia toman sus sueños como realidades. Son simpáticas, de carácter bastante vivo y de naturaleza amorosa y afectuosa.

Personajes célebres: Blanca de Castilla, reina de Francia, madre de San Luis. Blanca de Navarra, esposa de Felipe VI. Blancanieves, personaje de Andersen, a quien dio vida Walt Disney.

BLAS:

Etimología: del griego, cojo.

Rasgos característicos: gozan de un espíritu más profundo que brillante y de un carácter tenaz que les incita a llevar a cabo lo que han decidido.

Santo: San Blas, obispo y mártir en Sebasto, en Capadocia, a principios del siglo IV. Patrón de los cardadores, de los tejedores, de los albañiles y de los carpinteros. Se le invoca contra el dolor de garganta.

Personaje célebre: Blas Pascal, matemático, físico, filósofo y escritor francés.

BONIFACIO:

Etimología: del latín, *bonum faciens*, que hace el bien.
Santo: San Bonifacio, monje inglés, evangelizador de Frisia y de Alemania, martirizado cerca de Dokkum en el 754.
Personajes célebres: nueve papas.

BRAULIO:

Etimología: parece ser que procede del germánico *brand*, «fuego», y tambien *bran*, «toro», y *raw*, «cruel», aunque su origen no está claro.

BRENDA:

Etimología: nombre anglosajón procedente del céltico *bre-finn*, «aire hediondo» o de *bran*, «cuervo».
Femenino de Brandán, Brandano, Brendán o Borondón, pues con todos estos nombres es conocido un famoso Santo irlandés del siglo VI, protagonista de unos maravillosos viajes marinos que le han valido ser patrono de los navegantes.

BRÍGIDA:

En francés: Brigitte.
En inglés: Bridget.
En alemán: Brigitta.
En italiano: Grígida.
Etimología: del latín, la que une.
Rasgos característicos: son serias, encantadoras, graciosas, amables y distinguidas. En el amor son reservadas y dulces.

Santas: Santa Brígida (1302-1373), originaria de una familia sueca de sangre real, casada con Ulf Gudmarson; tuvo ocho hijos, entre los cuales figura Santa Catalina de Suecia. Después de la muerte de su marido, fundó un monasterio. Tuvo revelaciones. Santa Brígida (453-523), fundadora de varios monasterios en Irlanda. Patrona de Suecia y de Irlanda.

Personajes célebres: en la mitología de los celtas de Irlanda, Brígida figuraba entre las diosas. Brigitte Bardot, estrella del cine francés.

Obra: *Brigitte*, heroína moderna creada por Berthe Bernage.

BRUNILDA:

Etimología: de *brun-hilde*, «guerrero armado».

Obra: nombre de una valquiria, popularizado por una ópera de Wagner.

BRUNO:

En francés: Bruno.

En inglés: Bruno.

En alemán: Bruno

En italiano: Bruno

Etimología: del alemán, marrón.

Rasgos característicos: con frecuencia son orgullosos, serios, reflexivos y distinguidos. Poseen gustos intelectuales y artísticos y son un poco tímidos.

Santo: San Bruno, nacido en Colonia (1030), fundador de la orden de los Cartujos, cerca de Grenoble, en Francia. Murió en Calabria, donde había fundado una nueva cartuja, en 1011.

Personaje célebre: Bruno Walter, director de orquesta alemán.

BUENAVENTURA:

Etimología: del latín, bien llegado, aquél para quien los acontecimientos son felices.

Rasgos característicos: llevan una vida de satisfacciones y buena suerte. Están predispuestos a emboscadas producidas por espíritus mezquinos que no pueden lograr sus mismos triunfos, debiendo cuidarse de la envidia y la traición.

Santo: San Buenaventura, doctor de la Iglesia, denominado «Doctor seráfico» (1221-1274). Patrón del textil en Laval, Francia.

Personaje célebre: Buenaventura Despériers, cuentista francés.

C

CALIXTO:

Etimología: del griego *kállistos*, «bellísimo».

Rasgos característicos: el calificativo «bella» es probablemente el más extendido en nombres femeninos.

Santos: papa del siglo III. Santo oscense.

Personaje célebre: nombre aplicado a la ninfa Calisto, que retuvo largos años por amor a Ulises, el héroe de *La Odisea*.

CAMELIA:

Etimología: del latín *Camellus*, «camello». Nombre inspirado en el de la flor del Asia tropical bautizada *camellia* por Linneo en honor de su introductor en Europa, el jesuita italiano Camelli, en el siglo XVIII.

CAMILO:

En francés: Camille.
En inglés: Camillus, Camilla.
En alemán: Camill.
En italiano: Camillo, Camilla.
Etimología: del latín, Camillus, que sirve en el altar. Es uno de los pocos nombres franceses que se utilizan tanto para chicos como para chicas.
Rasgos característicos: son de naturaleza abnegada, pero de humor inestable y nunca se sabe si están en serio o de broma. Son sentimentales, independientes, de una inteligencia sutil, y son más bien influenciables.
Santos: San Camilo de Lellis, fundador de los Camilos, orden que tenía como finalidad el cuidado de los enfermos: murió en 1614 y es el patrón de los Camilos. Patrón de los enfermeros y enfermeras. Santa Camila, virgen, de cerca de Auxerre, siglo V, es la patrona de las Camilas.
Personajes célebres: Camila, reina de los Volscos y heroína de *la Eneida*. Camila, hermana de los Horacios. Camille Saint-Saëns, compositor francés. Camille Desmoulins, abogado y periodista francés.

CANDELARIA:

Etimología: del latín *candella*, de *candeo*, «arder». Advocación mariana alusiva a la Purificación, en la que se celebran procesiones con candelas. Nombre muy usado en las islas Canarias.

CÁNDIDO:

Etimología: del latín.
Personaje célebre: mártir en Roma en el siglo III.
Obra: *Candide*, cuento filosófico de Voltaire.

CARINA:

Etimología: del italiano.
Personaje célebre: mártir en Ankara.

CARLOMAGNO:

Etimología: del latín.
Santo: San Carlomagno, elegido como patrón de los colegios e institutos; en realidad, no parece que fuera canonizado.
Personaje célebre: rey de los francos, emperador de Occidente.

CARLOS:

En francés: Charles.
En inglés: Charles.
En alemán: Karl.
En italiano: Carlo.
Etimología: del latín, formado sobre el germánico, vigoroso o magnánimo.
Rasgos característicos: poseen una memoria muy buena; son bien equilibrados, inteligentes y llenos de imaginación. Tienen un espíritu práctico, astuto, un sentimentalismo ardiente que incluso podría tacharse de violento. Son generosos; tienen facilidad de gesto y de palabra, cosa que es el principal objeto de su popularidad. Sobre todo están dotados para las letras y las artes. Forman excelentes

matrimonios, pues por el ser amado no rechazan ningún sacrificio.

Santos: San Carlos Borromeo (1538-1584), arzobispo de Milán, que tomó la iniciativa de la publicación del catecismo del Concilio de Trento.

Personajes célebres: diez reyes de Francia, cuatro reyes de España, quince reyes de Suecia, varios reyes de Navarra, de Nápoles y de Anjou, duques de Borgoña y de Lorena, soberanos y príncipes ingleses, príncipes de Saboya y de Cerdeña. Charles Dickens, novelista inglés. Charles Gonnod, compositor de música. Charles Montesquieu, escritor y filósofo francés. Charles Baudelaire, poeta francés. Charles de Gaulle, general y hombre de estado francés. Charlie Chaplin, actor cómico. Charles Boyer, estrella del cine francés y americano.

CARLOTA:

Femenino de Carlos.

En francés: Charlotte.

En inglés: Charlotte.

En alemán: Karla.

En italiano: Carlotta

Rasgos característicos: los mismos que para Carlos.

Personajes célebres: Charlotte Corday, patriota que mató a Marat. Charlotte de Baviére, la madre del regente, llamada «la princesa Palatina». Charlotte de Naussau, gran duquesa de Luxemburgo.

Obra: *Charlotte*, heroína de Werther.

CARMEN:

Etimología: del latín, *carmen*, canto, poema. Derivado de una orden de los Carmelitas de Palestina. Nombre muy popular en España.

Rasgos característicos: de naturaleza fogosa, son apasionadas, violentas, intrépidas, encantadoras y seductoras.

Obras: novela corta de P. Mérimée, de donde se ha compuesto una ópera cómica, con libreto de H. Meilhac y L. Halévy, y música de G. Bizet. Ballet de R. Petit.

CAROLINA:

Etimología: del latín, formado del germánico. Derivado de Carlos.

Rasgos característicos: son muy independientes, tímidas y dispuestas para hacer frente a sus responsabilidades familiares. Son muy encantadoras, tienen mucha gracia y están muy apegadas a los pequeños placeres de la vida. De espíritu un poco ligero, son socarronas y burlonas. En general, poseen una bonita voz y están dotadas para la música. Forman excelentes matrimonios, aunque frecuentemente serán amadas más de lo que ellas amarán.

Personajes célebres: la princesa Carolina Murat, hermana de Napoleón. Carolina de Brunswick-Wolfenbüttel, esposa de Jorge IV, rey de Inglaterra. Carolina de Mónaco.

Obra: *Caroline Chérie*, de Cecil Saint-Laurent.

CASANDRA:

Etimología: del griego *kassandra*, «protectora de hombres».

Obra: personaje de *La Ilíada*, clarividente cuyas profecías (entre ellas la caída de Troya por causa de los guerreros ocultos en el interior del famoso caballo), siempre ciertas, no eran jamás creídas.

CASIMIRO:

Etimología: del eslavo, amo de la casa.

Santo: San Casimiro, hijo del rey Casimiro IV, muerto en Vilnius en 1484. Patrón de Lituania, venerado también por los polacos.

Personaje célebre: Casimir-Pierre Périer, rico banquero y político nacido en Grenoble, Francia.

Obra: *Casimir*, película francesa protagonizada por Fernandel.

CASTO:

Rasgos característicos: son personas de una fuerte voluntad. No tienen ninguna fantasía, ninguna frivolidad, ninguna ligereza ni en el espíritu ni en el carácter. Con una inteligencia práctica, desean avanzar con eficacia. Son profundamente sinceros.

CATALINA:

En francés: Catherine.

En inglés: Catherine.

En alemán: Katharina.

En italiano: Caterina.

Etimología: del griego, pura, casta.

Rasgos característicos: son mujeres superiores, orgullosas y ambiciosas, tal y como se puede comprobar por la historia, en la que han desempeñado un papel primordial en el plano político y literario. Son unas perfectas organizadoras de su vida y saben afrontar las situaciones que exigen un buen juicio y con frecuencia mucha audacia. Son prácticas y activas, incluso temerarias, y estudian las situaciones con una gran prudencia. Son finas, distinguidas, un poco presuntuosas, les gusta coquetear y generalmente se convierten en grandes enamoradas. Gustan a los hombres y buscan los que son superiores a ellas.

Santas: Santa Catalina de Alejandría, cuyo nombre pagano era Hecaterina, era hija del tirano egipcio Cestro. Era tan sabia como bella. Virgen y mártir decapitada en el 305; su cuello, según cuenta la leyenda, dejó correr un río de leche, de la que la iglesia de Santa Catalina del Borgo, en Roma, conserva un frasco. Se venera en Egipto como Santa Dimiana. Patrona de las jovencitas, de los estudiantes, de los filósofos, de los teólogos, de los molineros, de los leñadores, de los notarios, de los cardadores y de Italia. Santa Catalina de Suecia (1335-1381), segunda hija de Santa Brígida. Santa Catalina de Sienne (1347-1380), dominicana, que obtuvo, con su intervención, el final del cisma de Occidente. Santa Catalina Labouré (1806-1876), hija de San Vicente de Paúl, a quien se le apareció la Santa Virgen.

Personajes célebres: numerosas soberanas, principalmente en Inglaterra y en Rusia. Catalina II, la gran emperatriz de Rusia. Catalina de Medicis, esposa de Enrique II, madre de Francisco II, de Carlos IX y de Enrique III. Catalina de Aragón, primera mujer de Enrique VIII. Catherine Parr, sexta y última esposa de Enrique VIII. Catherine Deneuve, estrella del cine francés. Katharine Hepburn, estrella del cine americano.

CAYETANO:

Etimología: del latín *gaius*, «alegre», aunque más probablemente de Caieta, hoy Gaeta.

Personaje célebre: nodriza de Eneas, muerta y sepultada en las playas de Gaeta.

Nombre muy popular en Italia, bajo la forma Gaetano.

CECILIA:

En francés: Cécile.

En inglés: Cecilia.

En alemán: Cäcilie.

En italiano: Cecilia.

Etimología: del latín, formado sobre el romano, ciega.

Rasgos característicos: es un nombre lleno de armonía y de dulzura, que evoca a una mujer un poco distante. Generalmente son muy elegantes, tranquilas, llenas de energía y sensuales.

Santa: Santa Cecilia, virgen y mártir en el 230, convirtió a su hermano Tiburcio y a su novio Valeriano, quienes sufrieron el martirio con ella. Patrona de los músicos y de los fabricantes de instrumentos, pues, según las actas de los mártires, se acompañaba con un instrumento para cantar las alabanzas de Dios.

Personaje célebre: *Cécile Sorel*, comediógrafa francesa.

CECILIO:

Masculino de Cecilia.

Personajes célebres: Cecil Rhodes, colonizador de una parte del Sur de África. Cecil Saint-Laurent, novelista contemporáneo, autor de *Caroline Chérie*. Cecil Frank Powell, físico británico.

CEFERINO:

Etimología: del latín *ceferinus*, derivado del zéfiro o céfiro «viento de poniente».

CELESTE:

Personaje célebre: segundo obispo de Metz.

CELESTINA:

Etimología: la misma que para Celestino.

CELESTINO:

Etimología: del latín, hijo del cielo.

Santos: San Celestino I, papa que hizo condenar al hereje Nestorio por el concilio de Éfeso. San Celestino V, papa, fundador de la orden de los Celestinos.

Personajes célebres: cinco papas.

CELIA:

Etimología: del latín, derivado de Cecilia.

Rasgos característicos: los mismos que para Cecilia.

CELSO:

Rasgos característicos: son hombres de acción y de reflexión a quienes gusta la oposición. Son considerablemente inteligentes, afectuosos y llenos de vitalidad. Muy objetivos, saben reconocer sus faltas.

CÉSAR:

Etimología: la misma que para Cesáreo. César, título que llevaron los emperadores y príncipes romanos.

Personajes célebres: Julio César, hombre de estado romano. César Franck, compositor y organista francés. César de Borbón, duque de Vendôme.

Obra: *César Virotreau,* obra de Balzac.

CESÁREO:

Etimología: del latín, formado del romano, que ha tenido un nacimiento difícil.

Santos: San Cesáreo (470-542), obispo de Arles. San Cesáreo (329-368), hermano de San Gregorio Nacianceno.

CINTIA:

Etimología: del latín.

CIPRIANO:

Etimología: del latín, *cyprianus*, natural de Chipre.

Santo: San Cipriano, obispo de Cartago, padre de la

Iglesia latina, escritor y apologista cristiano, muerto en el 258. Patrón de África del Norte.

CIRENIA:

Etimología: gentilicio griego de la ciudad de Cirene (*Kyrenaia*), nombre a su vez procedente de *dyreo*, «objetivo, punto deseado».

Personaje célebre: en masculino, Cirineo, personaje bíblico que ayudó a Jesucristo a cargar con la cruz.

CIRIACO:

Personaje célebre: mártir que consta ya en los más antiguos calendarios cristianos.

CIRILO:

Etimología: del griego, entregado al Señor.

Rasgos característicos: tienen una excelente naturaleza en la que domina el corazón. Con frecuencia son vanidosos y se creen, casi siempre, superiores a los demás.

Santos: San Cirilo, apodado el Filósofo. Junto con su hermano Metodis, fue apóstol de los eslavos. Tradujo la Biblia y la liturgia griega al eslavo antiguo. San Cirilo, patriarca de Alejandría y doctor de la Iglesia. San Cirilo, obispo de Jerusalén y doctor de la Iglesia, autor de *Catequesis*.

CLARA:

En francés: Claire.

En inglés: Clara.

En alemán: Clara.

Etimología: del latín, ilustre.

Rasgos característicos: son francas, alegres, brillantes, gozosas y luminosas como su nombre. De naturaleza despierta y dichosas por vivir sin que nada les asuste. Emotivas, impresionables y nerviosas, pasan fácilmente de la alegría a las lágrimas. Son incapaces de tener estabilidad y se entusiasman enseguida por algo, pero su fervor es normalmente de corta duración. Su físico y su inteligencia las hacen muy atractivas y seductoras, y siempre predomina su corazón. Buscan el coqueteo, aunque a pesar de todo pueden ser felices en el matrimonio.

Santa: Santa Clara de Asís, nacida en esta ciudad, fundadora de la segunda orden franciscana, las Clarisas. Patrona de la televisión.

CLAUDIO:

En francés: Claude.

En inglés: Claudius.

En alemán: Claudius.

Etimología: del latín, que cojea.

Rasgos característicos: son de naturaleza nerviosa, influible y no pretenden brillar. Son dulces y afectuosos por naturaleza. Son fieles, leales y no presuntuosos. Embellecen fácilmente los proyectos que se les presentan. Son un poco perezosos. Las mujeres son vivas, vivarachas, espirituales, aman y saben gustar. Por otra parte, son felices en el hogar.

Santos: San Claudio, obispo y patrón de Saint Claude de Besançon, que se retiró al final de sus días en un monasterio. Patrón de los talladores de piedra.

Personajes célebres: Claudio I, emperador romano. Claude de France, esposa de Francisco I. Claude-Louis Berthollet, célebre químico francés que creó el telégrafo aéreo. Claude Debussy, compositor francés. Claudia Cardinale, actriz del cine italiano.

Obras: *Claude Frollo*, personaje de *Notre-Dame de Paris*, de Víctor Hugo.

CLEMENTE:

Etimología: del latín, *clemens*, afable, dado a la clemencia.

Rasgos característicos: son de temperamento soñador, de ambición más bien moderada, a los que les gusta un trabajo que exija paciencia y reflexión; no se lanzan a empresas extravagantes. Son tranquilos, no les gusta la violencia y están destinados a una vida feliz. Se complacen más en dar que en recibir. Les gusta la vida familiar y se casan en cuanto llegan a los veinte. Tienen sentido común y un humor estable. Su pasatiempo favorito es la lectura.

Santos: San Clemente I, papa y mártir, tercer papa, discípulo de los Apóstoles. San Clemente de Alejandría, doctor de la Iglesia.

Personajes célebres: catorce papas. Clément Marot, poeta francés.

CLEOPATRA:

Etimología: del griego, *cléos*, gloria y *pater*, del padre.

Santa: Santa Cleopatra, religiosa de la orden de San

Basilio, en el siglo X, venerada por los moscovitas.

Personajes célebres: nombre de siete reinas de Egipto. Varios personajes mitológicos y diversas reinas de Oriente, entre las que figura la famosa Cleopatra que sedujo a Marco Antonio, han llevado este nombre.

CLOTILDE:

En francés: Clotilde.

En inglés: Clotilda.

En alemán: Clotilda.

Etimología: del alemán, la que es ilustre y favorecida.

Rasgos característicos: tienen un temperamento intelectual más bien refinado. Son espirituales y poseen un gusto seguro. Son tenaces, voluntarias, pero carecen de flexibilidad y pueden dejarse arrastrar hasta desencantos profundos. No siempre son fieles y son dadas a la melancolía. En el amor, frecuentemente son celosas.

Santa: Santa Clotilde, reina de Francia, esposa de Clodoveo, muerta en el 545. Patrona de los notarios.

Personajes célebres: Clotilde de Saboya, hija de Víctor Manuel II de Italia y esposa del príncipe Napoleón.

COLOMA:

Etimología: del latín *columba*, «paloma».

Santos: en masculino, San Columbano, siglo VI, deformado a menudo en Colman, apóstol irlandés muy venerado por su incansable espíritu fundador de monasterios.

Personaje célebre: Cristóbal Colón (latín Columbus), aparte de descubrir América, ha dado nombre a la ciudad de Columbus, la república de Colombia, etc.

Obra: en su variante Colombina, nombre de un famoso personaje de la comedia italiana, versión femenina de Pierrot.

CONCEPCIÓN:

Etimología: del latín *conceptio*, «concepción, generación», por *cum-capio*, «con-tener». Advocación mariana alusiva a la Inmaculada Concepción de la Virgen María.

CONRADO:

Etimología: del germánico kounrat, «consejo del atrevido».

Personajes célebres: portado por diversos emperadores germánicos, llegó a ser tan popular en Alemania que es considerado allí como sinónimo de «persona corriente».

CONSTANTINO:

Etimología: del latín. Firme, constante.

Personaje célebre: famoso emperador romano que instauró el Cristianismo, siglo IV.

CORA:

Etimología: del griego *kóre*, «jovencita, doncella».

Personaje célebre: amante del poeta Ovidio.

COSME:

Etimología: del griego *kosmas*, «adornado, bello».
Santos: San Cosme y San Damián, martirizados en Arabia en el siglo III, patronos de los médicos.

COVADONGA:

Etimología: probablemente se refiere al lugar donde fue encontrada una imagen de la Virgen, la *Cova-Donna*, «Cueva de la Señora».
Nombre muy popular en Asturias en evocación de la Virgen del Santuario homónimo, que recuerda la primera batalla victoriosa contra los árabes del rey don Pelayo y el inicio de la reconquista asturiana.

CRISANTEMO:

Etimología: del griego *chrisantos*, «flor de loto». Nombre femenino alusivo a la «flor de hojas doradas».

CRISPÍN:

Etimología: gentilicio de *crispo*, y éste del latín *crispas*, «crespo, de pelo rizado».
Santos: San Crispín y San Crispiniano, hermanos zapateros martirizados en el siglo IV (no se sabe si ambos son la misma persona).

CRISTINA:

Etimología: derivado de Cristino.
Rasgos característicos: son mujeres del deber, tiernas, sacrificadas y que no flaquean ante los sacrificios necesarios y los cumplen con sencillez. Imaginativas, saben desenvolverse y no pierden el tiempo en reflexionar ante los problemas.

Santas: Santa Cristina, virgen y mártir de la primitiva iglesia de Occidente, hija de un gobernador de Toscana, muerta a flechazos hacia el 300. Patrona de Palermo. Santa Cristina, sobrina de San Hervè, venerada en Bretaña.

Personajes célebres: Cristina de Suecia, hija de Gustavo Adolfo, reina de Suecia. Christine de Pisan, poetisa del siglo XIV.

CRISTINO:

En francés: Christian.

En inglés: Christian.

En alemán: Christian.

Etimología: del griego, sagrado.

Rasgos característicos: son muy despabilados, económicos, leales y tienen sentido del honor. Son abnegados, tiernos, les gusta realizar cosas y, a veces, melancólicos. Tienen un fondo afectuoso y fiel, pero no siempre tienen el tiempo libre para dedicarse a las cosas del corazón. Triunfan en la vida por su valor, pues les gusta el esfuerzo y la vida dura.

Santos: San Cristino, mártir en el siglo III.

Personajes célebres: nombre llevado por varios reyes de Dinamarca. Christian Andersen, autor de cuentos danés.

CRISTÓBAL:

En francés: Christophe.

En inglés: Christopher.

En alemán: Christoph.

Etimología: del griego, que lleva a Cristo.

Rasgos característicos: los mismos que para Cristo.

Santo: San Cristóbal, de origen sirio, barquero, hizo atravesar un torrente al Niño Jesús llevándolo a hombros: de ahí le viene su nombre. Fue decapitado hacia el 250. Antiguamente, patrón de los mozos de cuerda, de los descargadores, de los turistas, de los viajeros y de los automovilistas.

Personajes célebres: Cristóbal Colón, célebre navegante que descubrió América. Christoph Gluck, compositor alemán.

CUCUFATE:

Etimología: del latín *cucuphate*, quizás de *cucupha*, «cofia», aunque, más probablemente, procede de alguna lengua norteafricana.

Santos: mártir en el siglo IV cerca de Barcelona, donde es muy popular bajo la forma catalana Cugat.

CUNEGUNDA:

Rasgos característicos: Combatiente audaz.

Santo: en femenino, Santa Cunegunda, pasó a la historia por el voto de castidad que hizo con su también santo esposo el Emperador Enrique, en el s. XI.

CHANTAL:

Nombre de uso exclusivamente francés hasta hace poco, se ha popularizado entre nosotros en los últimos años.

Etimología: del occitano *cantal*, «piedra, hito».

Santa: Santa Juana Francisca Frémyot, baronesa de la localidad de Salóne-et-Loire (Francia), fundadora, con San Francisco de Sales, de la orden de la Visitación.

DAFNE:

Nombre mitológico.
Etimología: del griego *daphne*, «laurel».
Personaje célebre: ninfa hija del río Penco, que la metamorfoseó en laurel para salvarla del acoso de Apolo. El dios se coronó con una rama del árbol, originando así el premio a los poetas.

DÁMASO:

Etimología: del latín, formado sobre el griego, acción de domar.
Santo: San Dámaso, papa del 366 al 384. Encargó a San Jerónimo la traducción de la Biblia.

DAMIÁN:

Etimología: del griego, popular.
Santo: San Damián, mártir en el siglo IV. Patrón de los médicos.

DÁNAE:

Nombre mitológico.

Personaje célebre: hija del rey de Argos, poseída por Zeus transfigurado en lluvia de oro, a lo cual alude el nombre: *dajo*, tierra árida fecundada por la lluvia.

DANIEL:

En francés: Daniel.

En inglés: Daniel.

En alemán: Daniel.

En italiano: Daniele.

Etimología: del latín, formado del hebreo, juicio de Dios.

Rasgos característicos: se les considera muy inteligentes, de naturaleza afectuosa, complacientes y de gran intuición. Son capaces de asimilar muy rápidamente lo que no conocen, reconocer sus errores y aceptar la opinión de los demás. Les gustan los grandes proyectos, tanto en el campo financiero como en el social, pero no hay que esperar de ellos ideas originales.

Santos: San Daniel, llamado el Estilita (410-490), que, por mortificación, permaneció más de treinta y tres años sobre una columna. San Daniel, de la Orden de los Hermanos Menores, predicó la fe en Marruecos y murió decapitado por los musulmanes en 1221.

Personajes célebres: Daniel, uno de los cuatro grandes profetas del Antiguo Testamento. Daniel O'Donnell, hombre de estado irlandés. Daniel Defoe, autor de *Robinson Crusoe*. El

Padre Daniel, jesuita francés. Danny Kaye, actor del cine americano.

DANIELA:

En francés: Danielle o Danièle.
En alemán: Daniela.
En italiano: Daniella.
Formas femeninas de Daniel.
Rasgos característicos: son de naturaleza cariñosa, complaciente, que denota una inteligencia viva y un gran sentido intuitivo. Normalmente son celosas, sin darse cuenta demasiado de ello, pero resultan ser excelentes amas de casa. Exteriorizan totalmente sus sentimientos. Son capaces de grandes pasiones y, muy a menudo, éstas las hacen sufrir sin que digan una palabra por ello.
Personaje célebre: Danielle Darrieux, actriz del cine francés.

DARÍO:

Etimología: del persa.
Rasgos característicos: son hombres que buscan camorra. Cuando se les mete algo en la cabeza, es difícil hacerlos cambiar de idea. Son posesivos y tienen una inteligencia rápida, incluso mordaz.

DAVID:

Etimología: del hebreo, tierno amado.
Rasgos característicos: son muy concentrados, tenaces y resistentes. Generalmente se sienten atraídos por trabajos en los que el espíritu

aporta una gran contribución, y se revelan como hombres de cabeza. Saben tomar sus responsabilidades en serio.

Santo: San David, arzobispo de Inglaterra en el siglo VI, fundador de varios monasterios. Patrón del País de Gales.

Personajes célebres: el rey David, profeta del Antiguo Testamento, autor de los *Salmos*. Nombre llevado por dos reyes de Escocia. David Teniers, pintor flamenco. David Livingstone, misionero y explorador escocés.

Obra: *David Copperfield*, de Charles Dickens.

DÉBORA:

Etimología: del hebreo, abeja.

Personajes célebres: Débora, profetisa y juez de Israel. Deborah Kerr, estrella del cine americano.

DELFÍN:

Etimología: del griego, delfín.

Santo: San Delfín, obispo de Lyon y hermano de San Ennemond; por disgustar a Ebroin, fue condenado a muerte.

DELFINA:

Femenino de Delfín. Nombre que estuvo muy de moda en la época romántica.

Santa: Santa Delfina de Glandeves (1283-1369), hija de un señor de Provenza, se casó con Elzear de Sabran, con quien vivió en la continencia; él murió antes que ella y fue canonizado mientras que ella vivía todavía apodada la «Santa Condesa».

Personaje célebre: Delphine Seyrig, comediógrafa y actriz de cine.

Obra: *Delphine*, título de una célebre novela de Madame de Staël.

DELIA:

Etimología: sobrenombre griego.

Personaje célebre: sobrenombre de la diosa Diana, por haber nacido en la isla de Delos.

Nombre usado como Adela o como forma italiana femenina de Elías.

DEMETRIO:

Etimología: del eslavo, formado del griego, Démétrios.

Santos: San Demetrio, el Taumaturgo, siglo XIV, patrón de Rusia y otros santos más de la iglesia ortodoxa rusa.

Personajes célebres: nombre llevado por varios grandes príncipes rusos y griegos.

DESDÉMONA:

Etimología: del griego *dysdaímon*, «desdichada».

Obra: nombre de la heroína del drama shakesperiano *Otelo*, inspirado en el *Hecarommithi* de Cinthio (1565), donde aparece en la forma *Disdemona*.

DESIDERIO:

Etimología: del latín *desiderius*, «deseable», o, más bien, «deseoso» (de Dios).

Personaje célebre: en su forma femenina francesa, Désirée, nombre de una cuñada de Napoleón que llegó a reina de Suecia.

DÉSIRÈ:

Etimología: procede del latín *desideratus*, lo que significa muy esperado, deseado.

Historia: San Désirè era el guardián del sello real en los reinados de Clotario y Childabeno en la Francia medieval. Al morir San Arcadio pasó a ser obispo de Bourges. Participó en varios concilios y combatió activamente el nestorianismo. Murió en el año 850.

Rasgos característicos: difícilmente se entrega y protege con mucha fuerza su intimidad. Con frecuencia llega a ser un individuo minucioso en exceso. Solterón empedernido.

DÉSIRÉE:

Forma femenina de Désirè.

DIANA:

Etimología: nombre de una divinidad romana, que se deriva de una raíz sánscrita, cuyo sentido es «brillar». Es el femenino de Janus.

Personajes célebres: Diana de Francia, hija legítima de Enrique II y de una piamontesa. Diana de Poitiers, favorita de Enrique II.

Obras: *Les Dera Diane*, de Dumas padre. *Diane de Lys*, de Dumas hijo.

DIEGO:

Etimología: forma española de Jaime.

Santo: San Diego, franciscano español, evangelizador de Canarias.

Obra: Don Diego, en El Cid.

DIÓGENES:

Etimología: del griego, nacido de la divinidad.

Personajes célebres: Diógenes el Cínico, filósofo griego. Diógenes Laercio, escritor griego del siglo III.

DIONISIA:

Etimología: la misma que para Dionisio.

Rasgos característicos: son vivas, sonrientes, chispeantes, sinceras, honradas y buenas. Encontrarán la felicidad en el amor más fácilmente que los hombres, debido a su gran vivacidad y a su mayor ambición.

Santa: Santa Dionisia, cristiana de África, importante tanto por su belleza como por su nobleza y sus virtudes.

Obra: *Denise*, de Alejandro Dumas hijo.

DIONISIO:

En francés: Denis.

En inglés: Dennis.

En alemán: Dionysius.

Etimología: del griego Dionysos, Baco, que está consagrado a este dios.

Rasgos característicos: son de una gran rectitud y normalmente siguen el camino que se han marcado en la vida. Son complacientes y acomodaticios cuando sus principios no se encuentran comprometidos. Perdonan con dificultad las debilidades de los demás al ser sinceros y estar muy convencidos de que sus principios son honrados y buenos. Son maridos perfectos.

Santos: San Dionisio el Areopagita, discípulo de San Pablo, primer obispo de Atenas, mártir en el siglo I. San Dionisio, apóstol de los galos, siglo III, primer obispo de París. Se le invoca contra los dolores de cabeza.

Personajes célebres: Dionisio, rey de Portugal en el siglo XIV. Denis Papin, inventor de la máquina de vapor. Denis Dideror, filósofo francés. Denis Cochin, filántropo francés. Denis Lambin, filósofo francés.

DOLORES:

Etimología: del latín, *dolor*. Nombre español derivado de Dolorosa o Mater Dolorosa (Nuestra Señora de los Siete Dolores).

Diminutivos: Lola y Lolita.

DOMINGO:

En francés: Dominique.

En inglés: Dominic.

En alemán: Dominik.

En italiano: Domenico.

Etimología: del latín, que pertenece al Señor.

Rasgos característicos: poseen un gran dominio de sí y están provistos de inteligencia, de lógica, de voluntad, de carácter y de sensibilidad cálida, vibrante y generosa. Son muy perfeccionistas y poseen un gran sentido de la rectitud. Son incapaces de inclinarse por un objeto prohibido. Sin embargo, dan muestras de cierta rudeza, aunque no carecen de benevolencia. Son muy serios y no se ríen con frecuencia.

Santo: Domingo (1170-1221), de una familia española noble, fundador de la orden de los Hermanos Predicadores, o Dominicos, propagadores de la devoción al Rosario.

Personajes célebres: I Domenichino, pintor italiano del siglo XV. Dominique Florentin, escultor del Renacimiento. Dominique Larrey, cirujano.

Obra: *Dominique*, novela de Eugenio Fromentin.

DOMITILA:

Rasgos característicos: parecen tímidas porque son reservadas y se arriesgan a dar la impresión de carecer de confianza en sí mismas. Son muy inteligentes y sociables. Cooperadoras en el trabajo, les gusta integrarse en un equipo en el que dominen los hombres.

Santa: Santa Domitila. Ha habido dos Domitilas y ambas de la misma familia imperial de Flavia, en Roma.

DONACIANO:

Etimología: del latín, dado.

Santo: San Donaciano, martirizado junto con su hermano Rogaciano hacia el 299, en Nantes, ciudad de la que son patrones.

DONATO:

Etimología: la misma que para Donaciano.

Santo: San Donato, obispo de Besancon, en el siglo VII, instruido y Bautizado por San Columbano.

DORA:

Puede ser diminutivo tanto de Dorotea como de Teodora.

Rasgos característicos: activa y trabajadora. Sólida y estable. Se le podrá reprochar el carecer de fantasía, lo que suple con creces su excelente humor.

DORIS:

Etimología: aunque suele tomarse como variante de Dora, es en realidad un nombre mitológico y gentilicio de la Dórida, patria de los dorios, en la antigua Grecia.

Personaje célebre: Doris, esposa de Nereo y madre de cincuenta ninfas.

DOROTEA:

En francés: Dorothée.

En inglés: Dorothy.

En alemán: Dorothea.

En italiano: Dorotea.

Etimología: del griego, don de Dios.

Rasgos característicos: están llenas de energía y son muy activas. Son muy sentimentales y saben hacerse amar fácilmente, pues son ardientes y vibrantes y buenas en el hogar.

Santa: Santa Dorotea, virgen y mártir en Cesárea, Capadocia, en el 310. Patrona de las floristas y de los jardineros.

Personaje célebre: Dorothy Lamour, estrella del cine americano

EBERARDO:

En francés: Evrard.
En inglés: Everard, Everett.
En alemán: Eberhard.
En italiano: Eberardo.
Etimología: del germánico *eber-hard*, «jabalí fuerte». Por similitud fonética, ha acabado siendo identificado con Abelardo.

EDELTRUDIS:

Variante de Adeltrudis.

EDGAR:

En francés: Ogier.
En alemán: Otger.
En italiano: Oggero.
Etimología: forma inglesa antigua de Eduardo. Identificado con el danés Ogiero.

Personajes célebres: rey santo de Inglaterra en el siglo IX. Paladín de Carlomagno.

EDITA:

Etimología: del germánico, formado con la raíz *ed*, «riqueza», y *gyth*, «combate».

EDMUNDO:

En francés: Edmond.
En inglés: Edmund, Edmond.
En alemán: Edmund.
En italiano: Edmondo.
Etimología: del anglosajón, hombre feliz.
Rasgos característicos: son vivos de genio, despiertos y de carácter flexible. Son muy agradables en sociedad, bromean con facilidad con su cordialidad y su amabilidad. Es fácil vivir con ellos, aunque carecen un poco de solidez.
Santo: San Edmundo, nacido en Nuremberg, rey de East-Anglia, arruinado y condenado a muerte en el siglo IX por el príncipe danés Hinguar. Patrón de los reyes de Inglaterra.
Personajes célebres: Edmond Audran, compositor francés. Edmond Rostand, dramaturgo francés.

EDUARDO:

En francés: Edouard.
En inglés: Edward.
En alemán: Eduard.
En italiano: Eduardo.
Etimología: del anglosajón, guardián de la felicidad, regidor.

Rasgos característicos: son hombres admirables con una voluntad fría y tenaz, más sólidos que brillantes y muy idealistas. Saben lo que quieren.

Santos: San Eduardo III, llamado el Confesor (1004-1066), rey de Inglaterra, sobrino de San Eduardo el Mártir, fundador de la abadía de Westminster. Uno de los grandes patrones de Inglaterra junto con San Eduardo II el Mártir.

Personajes célebres: varios reyes de Inglaterra. Edouard Branly, físico y químico francés. Edouard Detaille, pintor militar francés. Edvard Grieg, compositor y pianista noruego. Edoard Manet, pintor francés.

Obra: *Les Enfants d'Edouard* de Casimir Delavigne.

EDUVIGIS:

En francés: Edvige.

En inglés: Hedda.

En alemán: Hedwig.

Etimología: del germánico *hathu-wig*, duplicación de la palabra «batalla»: «guerrero batallador». Nombre germánico muy popular poco usado en España.

EFRAÍM:

Etimología: del hebreo *ephraim* o *ephraraim*, «muy fructífero, doblemente fructífero».

Personaje célebre: patriarca bíblico, hijo de José y cabeza de una de las doce tribus.

EGIDIO:

Etimología: del griego *aegis*, nombre del escudo de Júpiter y Minerva, así llamado por estar hecho con la piel curtida de la cabra Amaltea, nodriza del primero. Traducible como «protector». Nombre muy popular en España en el Siglo de Oro, especialmente bajo la forma hipocorística de Gil.

ELENA:

Ver Helena.

ELEONOR:

En francés: Eléonore.
En inglés: Eleanor.
En alemán: Eleonora
En italiano: Eleonora.
Etimología: del griego, que se erige (templo).
Santa: Santa Eleonor, mártir irlandesa.
Personajes célebres: numerosas princesas de la Edad Media. Eleonor de Aquitania, reina de Francia y esposa de Luis VII. Eleonor de Habsburgo, archiduquesa de Austria.

ELEUTERIO:

Etimología: nombre romano derivado del griego *eleutherion*, nombre de unas fiestas en honor de Júpiter Liberador: «Libre, que actúa como un hombre libre».

ELIANE:

Femenino de Elías.
Rasgos característicos: le gusta de sí misma una idea romántica, lo que a veces la inclina a mentir un poco. Muy apegada a su infancia. Su número favorito es el 1 y su color el verde.

ELÍAS:

Etimología: del hebreo, Dios y señor.

Rasgos característicos: son un poco egoístas y no siempre son fáciles de tratar.

Santo: San Elías, profeta del Antiguo Testamento.

Personajes célebres: Elías Decazes, hombre de estado francés. Elías Fréron, crítico francés. Elías de Beaumont, geólogo francés.

ELISA:

Diminutivo de Elisabeth.

ELISABETH:

En francés: Elisabeth.

En inglés: Elizabeth.

En italiano: Elisabetta.

Diminutivos: Lisbeth, Elise, Elisa, Fijare, Lise, Lison, Isabel, Bella, Bertina (en italiano), Bett y Betsy (en inglés).

Etimología: nombre grecolatino formado sobre el hebreo, la casa que honra a Dios.

Rasgos característicos: son muy simpáticas, graciosas y orgullosas sin dejar de ser sencillas. Son de naturaleza realizadora y noble, capaces de utilizar sus dones naturales en los períodos de prueba, en los que saben dar muestra de valor y de paciencia. Son muy emotivas, con frecuencia parecen frías y distantes, debido a que saben contener los impulsos de su sensibilidad. Gustan mucho a los hombres y su compañero puede estar seguro de la felicidad en su matrimonio. Parecen con frecuencia influenciables y poco dadas a las iniciativas osadas.

Santas: Santa Elisabeth, hija del rey de Hungría, esposa de Luis IV. Santa Isabel, madre de San Juan Bautista, prima de la Santa Virgen. Santa Isabel, reina de Portugal.

Personajes célebres: numerosas reinas de Inglaterra, de España, de Francia, de Hungría y princesas de varios países, principalmente Isabel de Francia, hermana de Luis XVI; la reina Isabel de Inglaterra. Isabel de Bélgica, Isabel de Rumanía, esposa del rey Carlos I. Elizabeth Taylor, estrella del cine americano.

ELISEO:

Etimología: del hebreo, Dios es mi salvación.

Santo: San Eliseo, profeta en Samaria y en Palestina, discípulo de Elías.

ELMO:

Variante de Erino, a su vez contracción de Erasmo. «Protector.»

ELOÍSA:

Etimología: forma derivada de Ludovic, Loïse. Este nombre volvió a resurgir a partir del siglo XVIII por *la nouvelle Héloise* de Jean-Jacques Rousseau.

Personaje célebre: este nombre lo llevó la sobrina del canónigo Fulbert, célebre por su amor a Abelardo.

ELOY:

En francés: Eloi.

En inglés: Eligius.

En alemán: Eligius.
En italiano: Allodio.
Etimología: del latín, elegido.
Santo: San Eloy, obispo de Noyon y de Tournai en el siglo VII. Patrón de los plateros, de los cerrajeros, de los herreros, de los cristaleros, de los fabricantes de tableros de ajedrez, de los carpinteros de carros, de los relojeros, de los herradores, de los fabricantes de moneda y de los fontaneros.

ELSA:

Diminutivo de Elisabeth.

ELVIRA:

Etimología: del español, puesto de moda en el siglo XIX por Lamartine.
Personaje célebre: abadesa del monasterio de Obren (Alemania).

EMETERIO:

Etimología; del griego *emen*, «vomitar», que da *emeterion*, «vomitivo», y, por extensión, «que rechaza, defensor».
Santo: santo hispano del siglo III de mucha advocación en Barcelona, donde es conocido con la forma catalana Medir

EMILIA:

Femenino de Emilio.
En francés: Emilie.
En inglés: Emilia.
En alemán: Emilie.

En italiano: Emilia.

Rasgos característicos: hábiles, flexibles, saben infiltrarse e imponerse. Son violentas y tienen aspecto de ser superiores.

Santas: dos santas de este nombre fueron martirizadas en Lyon en 177.

Obra: Emilie, heroína corneliana en *Cinna*.

EMILIANA:

Femenino de Emiliano.

Santa: Santa Emiliana, religiosa italiana del siglo VI, tía de Gregorio el Grande.

EMILIANO:

Etimología: la misma que para Emilio.

Santos: San Emiliano, obispo de Verceil, en el siglo VI. San Emiliano, confesor en el siglo XI. San Emiliano, ermitaño del siglo VIII.

EMILIO:

En francés: Emile.

En inglés: Emil.

En alemán: Emil .

Etimología: del griego, gentil, amable.

Rasgos característicos: tienen lo necesario para triunfar en la vida. Parecen saberlo todo, les gusta discutir y son buenísimos oradores, seguros de sí mismos. Poseen grandes cualidades intelectuales por las que se distinguen en los negocios. Son impresionables y muy sensibles a la adulación. No son demasiado afortunados en el amor y tienen tendencia a dejarse arrastrar por la desilusión.

Santos: San Emilio, mártir en África en el siglo II. San Emilio, médico, mártir de los vándalos en el 484.

Personajes célebres: Emile Augier, el más famoso de los autores del teatro realista francés. Emile Zola, novelista. Emile Faguet, crítico francés.

Obra: *L'Emile*, de Jean-Jacques Rousseau.

EMMA:

Femenino de Emmanuel.

Personajes célebres: Santa Emma, prima del emperador Enrique II el Santo, tras enviudar fundó numerosas abadías y distribuyó sus bienes entre los pobres. Creó entre otros el monasterio de Gurk en Austria. Murió en el año 1045.

Rasgos característicos: fantástica y caprichosa. Juzga los sucesos y a las gentes con excesiva precipitación. Tiene un encanto infantil.

Personajes célebres: dos reinas de Francia y una de Inglaterra.

EMMANUEL:

En francés: Emmanuel.

En inglés: Emmanuel.

En alemán: Immanuel.

En italiano: Emanuele.

Etimología: del hebreo, Dios está con nosotros. Es el nombre con el que el profeta Isaías designa al Mesías en las Escrituras.

Rasgos característicos: tienen una buena inteligencia, son muy imaginativos y bastante concentrados. Tienen un temperamento sensual, les encanta el lujo, pero les gusta poco el esfuerzo.

Santo: San Emmanuel, mártir en Oriente.

Personajes célebres: Emmanuel Kant, filósofo alemán. Emmanuel Chabrier, compositor francés. Emmanuel Frémiet, escultor francés.

ENRIQUE:

En francés: Henri.

En inglés: Henry.

En alemán: Henrich.

En italiano: Enrico.

Etimología: del alto alemán, amo de la casa.

Rasgos característicos: aunque les gusta el placer, la vida fácil, la precisión, son sin embargo ahorrativos y un poco maníacos. Son simpáticos, modestos y prudentes, prudencia que raya a veces con la desconfianza. En el amor, buscan un verdadero compañero de vida.

Santo: San Enrique II, apodado el Cojo (973-1024), emperador del Sacro Imperio Germánico.

Personajes célebres: siete emperadores de Alemania, cuatro reyes de Francia, ocho reyes de Inglaterra y cuatro reyes de Castilla. Heinrich Heine, poeta romántico alemán. Henri de Montherlant, escritor francés. Henri Matisse, pintor contemporáneo. Henrik Ibsen, dramaturgo noruego. Henri Duparc, compositor francés. Henry Fonda, actor de cine americano.

ENRIQUETA:

Femenino de Enrique.

Personajes célebres: Henriette-Anne de Francia,

princesa francesa, hija de Luis XV. Henriette de Inglaterra, princesa de Inglaterra y de Escocia Henriette-Marie de Francia, princesa francesa, hija del rey Enrique IV y de María de Médicis.

Obra: *Henriette*, de F. Coppée.

ERASMO:

Etimología: del griego Erasmios, «agradable, gracioso, encantador».

Personaje célebre: Erasmo de Rotterdam, humanista del siglo XVI, que latinizó su nombre original, Desiderio.

ERICO:

Etimología: del germánico *awaric*, «regidor eterno». Identificado con Enrique. Su forma femenina es pronunciada a veces Erica por influencia del latín *erica*, «brezo, madroño».

ERMELANDO:

Etimología: del germánico *ermeland*, «tierra de Ermiones».

ERMENGARDO:

Etimología: del germánico, compuesto de *ermin* y *gar*, «preparado para el combate», o *gard*, «jardín», respectivamente para las formas masculina y femenina.

Identificado a menudo con Hermenegildo.

ERMINIA:

Etimología: del germánico, formado con la voz *Ermin* (nombre de un semidiós, que acabó designando una tribu, los ermiones) o quizás de *armans*, «grande, fuerte».

Santo: San Ermino o Erminio, obispo francés del siglo VIII.

ERNESTINA:

Femenino de Ernesto.

ERNESTO:

En francés: Ernest.

En inglés: Ernest.

En alemán: Ernst.

Etimología: del germánico, excelente.

Rasgos característicos: son muy valientes, un poco vivos, dominan sus sentidos con dificultad tienen tendencia al engaño. Y poseen un humor encantador y un sentimentalismo desbordante. Su defecto es la glotonería.

Santo: San Ernesto, abad benedictino de Zwiefalten, Alemania, martirizado en La Meca en 1148.

Personajes célebres: numerosos príncipes germánicos. Ernest Ansermet, célebre director de orquesta suizo. Ernest Renan, escritor francés. Ernest Lavisse, profesor e historiador francés. Ernest Solvary, industrial y filántropo belga. Ernest Hemingway, escritor americano.

ESCOLÁSTICA:

Etimología: del latín, maestra de escuela, sabia.

Santa: Santa Escolástica, hermana de San Benito,

fundadora de la orden de las Benedictinas en el siglo VI.

ESMERALDA:

En francés: Emeraude.
En inglés: Emerald.
Etimología: del latín *smaragda*, «esmeralda».

ESPERANZA:

Santa: Santa Esperanza, virgen y mártir romana del siglo II, hija de Santa Sofía, que tuvo tres hijas, todas ellas canonizadas.

ESTANISLAO:

Nombre polaco.
Etimología: del eslavo, gloria del Estado.
Rasgos característicos: son distinguidos, orgullosos, firmes de carácter y con una gran dignidad. Tienen una gran fuerza de voluntad, que se manifiesta en su vida sentimental.
Santos: San Estanislao (1030-1079), noble polaco, obispo de Cracovia, mártir. San Estanislao de Kostka (1550-1568), noble joven polaco y novicio jesuita muerto a los diecisiete años. Patrón de Polonia.
Personajes célebres: nombre llevado por varios príncipes eslavos. Estanislao I Leszczynski, rey de Polonia. Estanislao Andrieux, académico francés.

ESTEBAN:

En francés: Etienne o Stéphan.
En inglés: Stephen.

En alemán: Stephan.

Etimología: del latín, formado sobre el griego, coronado.

Rasgos característicos: están dotados de una inteligencia muy perspicaz, poseen una gran flexibilidad de espíritu. Son enérgicos, amables, atentos y curiosos de todo. Son muy buenos amigos, tienen tendencia a la originalidad y no les gusta mostrar sus sentimientos.

Santos: San Esteban, primer mártir del cristianismo. San Esteban, rey y apóstol de Hungría. San Esteban I, papa, martirizado al celebrar la misa. San Esteban de Muret, monje limusino, fundador de la orden de Grandmont en el siglo XIII. San Esteban, el primer mártir, fue elegido como patrón por los honderos.

Personajes célebres: nueve papas, varios reyes de Hungría y Serbia. Etienne de Bois, rey de Inglaterra. Esteban Murillo, pintor español. Etienne Allegrain, pintor.

ESTEFANÍA:

Femenino de Esteban.

Personajes célebres: Santa Estefanía era una humilde dominica que dedicó toda su vida a los pobres y vivió estigmatizada. Murió en 1530 en Sancino, Italia. Numerosas otras santas han llevado este nombre.

Rasgos característicos: defiende sus ideas con pasión. Se inflama por cualquier causa que crea justa. Es idealista.

Su color es el naranja y su número el 7.

ESTELA:

Etimología: del español, formado sobre el latín stella, estrella.

Rasgos característicos: son luminosas, vigilantes, idealistas y un poco misteriosas. Son fieles y con frecuencia muy exigentes en el amor.

Santa: Santa Estela, hija del rey de Saintes, virgen y mártir, siglo III.

ESTHER:

Etimología: del hebreo, lo que está oculto. Este nombre se dice a veces Edissa.

Santa: Santa Esther, nieta de Mardoqueo.

Personajes célebres: Esther, según la Biblia, heroína judía de una gran belleza que se casó con el rey de Persia Asuero. Esther Williams, actriz del cine americano.

Obra: *Esther*, tragedia en tres actos de Juan Racine.

ESTUARDO:

Etimología: nombre inglés de origen histórico, dado por simpatía a la casa de Escocia.

EUDIXIO / EUDIXIA:

Etimología: del griego *eu-doxos*, «de buena opinión, doctrina o reputación».

Personaje célebre: nombre de una emperatriz oriental del siglo IV.

EUFEMIA:

Etimología: del griego *eu-phemia*, «de buena palabra».

Rasgos característicos: destacan por su elocuencia y su buena reputación.

EUFROSINA:

Etimología: nombre de una de las tres Gracias de la mitología griega. De *euphrosyne*, «la que tiene alegres pensamientos».

EUGENIA:

Femenino de Eugenio.

Santa: Santa Eugenia, sobrina de San Odilio, abadesa de los monasterios alsacianos de Hohenbourg y de Niedermunster, muerta hacia el 735.

Personaje célebre: Eugenia de Montijo, esposa de Napoleón III y emperatriz de los franceses.

Obra: *Eugénie Grandet*, de Balzac.

EUGENIO:

En francés: Eugéne.

En inglés: Eugene.

En alemán: Eugen.

En italiano: Eugenio.

Etimología: del griego, de buen nacimiento.

Rasgos característicos: son honrados, tienen mucho afecto y les gustan las ciencias. Sienten horror de las situaciones falsas o sencillamente novelescas. Poseen una gran ternura y son muy sensibles al valor de las atenciones que se les brindan. Es fácil herirlos.

Santos: San Eugenio, obispo y mártir, discípulo de San Dionisio, en el siglo III. San Eugenio, obispo de Cartago, en el siglo IV. San Eugenio I, papa en el siglo VII.

Personajes célebres: cuatro papas y siete reyes de Escocia. Eugéne Beauharnois, hijo de la emperatriz Josefina. Eugene Sue, novelista francés. Eugéne Brieux, dramaturgo francés. Eugéne Delacroix, pintor francés.

EULALIA:

En francés: Eulalie.
En inglés: Eulalia.
Etimología: del griego *eu-lalos*, «bien hablada, elocuente».
Santa: patrona de Barcelona, siglo IV, cuya leyenda aparece duplicada en Mérida.

EUNICE:

Etimología: del griego *eunike*, «que alcanza una buena victoria, victorioso».

EUSEBIO:

Etimología: del latín, formado del griego.
Santo: San Eusebio, papa en el 310.
Personaje célebre: Eusebio de Cesárea, padre de la historia sagrada.

EUSTAQUIO:

Etimología: del griego, cargado de bellas espigas.
Santo: San Eustaquio, oficial del ejército romano, martirizado junto con su mujer y sus dos hijos hacia el 120. Patrón de los cazadores.

EVA:

En francés: Eve o Eva.
En inglés: Eva o Eve.
En alemán: Eva.
Etimología: del hebreo, madre de los vivos.

Rasgos característicos: son muy femeninas, muy guapas, atractivas y encantadoras. Son muy sentimentales, a veces coquetas y caprichosas. Sienten curiosidad por todo y les atraen las artes.

Santa: Santa Eva, virgen, martirizada en Dreux.

Personajes célebres: la primera mujer, esposa de Adán. Eva Francis, actriz de la Comedia Francesa. Eva Braun, esposa de Hitler. Eva Perón, esposa del presidente de Argentina, Juan Domingo Perón.

EVANGELINA:

Etimología: nombre de la heroína del poema idílico de Longfellow, situado en Acadia (1847).

EVARISTO:

Etimología: del griego, noble, de buena nobleza.

Santo: San Evaristo, quinto papa, mártir en el 105.

EVELINA:

Variante de Eva.

Rasgos característicos: hermosa, brillante, apasionada y artista. Con frecuencia muy idealista, defendiendo sus ideas con ardor.

EVELIO:

Masculinización de Eva.

Etimología: concurrente con el germánico Eiblin, con Avelina, y, quizás, con el adjetivo griego *euélios*, «bien soleado, luminoso, radiante».

EXUPERIO:

Etimología: del latín, que supera.

Santo: San Exuperio, obispo de Tolosa hacia el año 410.

EZEQUIEL:

Etimología: del hebreo *hezeq-iel*, «fuerza de Dios».

Personaje célebre: profeta del Antiguo Testamento, anunciador de la ruina de Jerusalén y visionador de un carro de fuego que recibe hoy las más curiosas interpretaciones.

FABIÁN:

En francés: Fabien.
En inglés: Fabian.
En alemán: Fabian.
En italiano: Fabiano.
Etimología: del latín, venerable.
Rasgos característicos: son modestos, bastante distinguidos, muy reservados, tienen un ingenio ocurrente y un sentido personal del saber hacer. Les aterra la notoriedad y no les gusta hablar en público.
Santo: San Fabián, papa del 236 al 250, martirizado bajo el mandato de Decio.
Personajes célebres: Fabián Máximo Verrucoso, llamado el contemporizador, dictador romano. Fabius Pictor, el más antiguo de los historiadores latinos.

FABIANA:

Femenino de Fabián.

FABIO:

Etimología: del nombre de familia romano Fabius, y éste de *faba*, «haba», legumbre de primer orden en la alimentación romana. Decaído tras las invasiones bárbaras, resucitó su popularidad con el Renacimiento.

Derivados: Fabián y Fabiola.

Obras: personaje de la *Epístola Moral* y de *Las Ruinas de Itálica.*

FABIOLA:

Etimología: del latín Fabia, ilustre familia romana.

Personajes célebres: el nombre de Fabiola era el de una ilustre cristiana de Roma que, al quedarse viuda, fundó el primer hospital de Italia en el siglo IV. El cardenal inglés Wiseman la hizo célebre con su novela *Fabiola.* Fabiola de Mora y Aragón, reina de Bélgica.

FABRICIO:

Personaje célebre: Fabricio, mártir de Toledo.

Obra: Fabrice del Dongo, héroe de la *Cartuja de Parma*. novela de Stendhal.

FÁTIMA:

Etimología: del árabe *fata*, «doncella, joven».

Personaje célebre: Virgen aparecida en la localidad portuguesa del mismo nombre en 1927.

FAUSTINO:

Etimología: del latín.

Personaje célebre: mártir en Brescia, Italia, en el siglo II.

FE:

Etimología: del latín *fides*, «esperanza».

FEDERICO:

En francés: Frédéric, Fred.

En inglés: Frederic(k).

En alemán: Friedrich.

En italiano: Federico

Etimología: del celta, muy pacífico.

Rasgos característicos: saben lo que quieren; son reflexivos, decididos, tenaces. Se dirigen a su meta con orgullo y ambición. Saben gustar por su finura, por una alegría ligera y una melancolía llena de encanto. Son intuitivos y sensibles y pronto se sienten impresionados por lo que les rodea.

Santo: San Federico, obispo de Utrecht y mártir en el siglo IX.

Personajes célebres: varios emperadores de Alemania. Federico II el Grande, de Prusia, uno de los mayores soberanos del siglo XVIII. Federico Barbarroja, emperador de Alemania. Frédéric Lemaître, comediógrafo francés de la época romántica. Friedrich Nietzsche, filósofo alemán. Frédéric François Chopin, pianista y compositor polaco, de origen francés. Federico García Lorca, escritor español.

Obra: El personaje de Federico en *L'Arlésienne*.

FELICIANA:

Femenino de Feliciano.

Santa: Santa Feliciana, mártir.

FELICIANO:

Etimología: del latín, feliz.

Rasgos característicos: se ponen fácilmente al corriente de lo que emprenden, lo cual les da popularidad. Son fáciles de gesto y de palabra, pues tienen un espíritu práctico y vivo. Son muy independientes, no les gusta solicitar los servicios de los demás y son capaces de triunfar en todo lo que emprenden. Tienen grandes cualidades de espíritu y les gusta la música. Creen en el amor único y no vacilan en sacrificarlo todo por la mujer amada.

Santo: San Feliciano, mártir, decapitado en Roma en el siglo III.

FELICIDAD:

Etimología: el mismo origen que Félix.

Santa: Santa Felicidad, esclava de Santa Perpetua, martirizada con ella en Cartago en el año 203.

FELIPE:

En francés: Philippe.

En inglés: Philip.

En alemán: Philipp.

Etimología: del latín, formado del griego, que le gustan los caballos.

Rasgos característicos: están dotados de una inteligencia más brillante que profunda. Trabajan metódicamente y obtienen el máximo de su espíritu. Tienen un carácter suave, fácil de influir, y a veces se dejan llevar por los caprichos. No les gusta la violencia, pues son fundamentalmente tranquilos. Están muy apegados a su mujer y a su hogar.

Santos: San Felipe Apóstol, uno de los primeros discípulos de Cristo después de San Pedro y San Andrés, mártir, evangelizó Escitia y Frigia. San Felipe, diácono, uno de los siete discipulos que eligieron los Apóstoles como primeros diáconos. San Felipe Beniti (1233-1285), converso, posteriormente superior general de los Servitas de María. San Felipe Neri (1515-1595), fundador de la Congregación del Oratorio de Roma.

Personajes célebres: siete reyes de Francia y cinco de España. El Príncipe Felipe de Inglaterra, esposo de la reina Isabel Philippe de Champagne, pintor flamenco.

FÉLIX:

En francés: Félix.

En inglés: Felix.

En alemán: Felix.

Etimología: del latín, feliz.

Rasgos característicos: los mismos que para Feliciano.

Santos: San Félix de Nole. San Félix I, papa y mártir. San Félix de Valois, de la familia real de Valois.

Personajes célebres: Cinco papas. Félix Faure, presidente de la República Francesa. Félix Potin, creador del primero de los grandes almacenes de alimentación de Francia. Félix Barrías, pintor.

FERMÍN:

Etimología: del latín, enérgico.

Santo: San Fermín, primer obispo de Amiens y mártir, patrón de Amiens y de Navarra.

FERMINA:

Personaje célebre: virgen y mártir en Ombrise en el siglo IV.

FERNANDO:

En francés: Ferdinand.

En inglés: Ferdinand.

En italiano: Ferdinando.

Etimología: del español antiguo, formado sobre el germánico, hombre libre.

Rasgos característicos: tienen un espíritu seductor y no les gusta la trivialidad. Poseen una sensibilidad muy vibrante y son optimistas. No tienen mucha prudencia para evitar las desgracias que les persiguen.

Santos: Fernando III el Santo, rey de Castilla y de León.

Personajes célebres: cuatro emperadores de Alemania, tres emperadores de Austria y de Bohemia, siete reyes de España, varios reyes de Portugal y de Italia Fernando de Castilla, bajo cuyo reinado vivió el Cid. Fernando V, el Católico, esposo de Isabel, unificadores de España. Ferdinand de Lesseps, padre del Canal de Suez.

FIDEL:

Etimología: del latín, que tiene fe.

Rasgos característicos: tienen buenas cualidades y

son leales. A veces son soñadores y, con frecuencia, los sueños se convierten en una dura realidad en su espíritu.

Santo: San Fidel de Sigmaringen, siglo XII, abogado, luego capuchino y predicador.

Personaje célebre: Fidel Castro, político cubano.

FILADELFO:

Etimología: del griego *philádelphos*, «que ama a su hermano».

Personaje célebre: sobrenombre de Ptolomeo, rey de Egipto, pero universalizado por la ciudad americana de Filadelfia, capital del Estado de Pennsylvania, fundada por W. Penn para fomentar el amor fraternal.

FILIBERTO:

Etimología: del germánico.

Santo: San Filiberto, primer abad de Jumièges en el siglo VII.

Personajes célebres: Filiberto I el Cazador, rey de Saboya. Filiberto Delorme, arquitecto francés.

FILOMENA:

Etimología: del latín, formado del griego, la novia amada.

Rasgos característicos: son sencillas, muy dulces, un poco melancólicas y en ocasiones ingenuas. Son puras, leales, reservadas y sentimentales.

Santa: Santa Filomena, virgen y mártir.

Obra: *Soeur Philomene*, de Goncourt.

FLAVIO:

Etimología: del latín *flavus*, «amarillo, de pelo rubio».
Personajes célebres: dos célebres dinastías de emperadores romanos.

FLOR, FLORA:

Etimología: del latín, diosa de las flores.
Rasgos característicos: son imaginativas, bastante novelescas, poseen mucho talento y voluntad, pero carecen de impulso. Les gusta la acción con la condición de que se salga de lo normal. No niegan nunca un favor, siempre están dispuestas a ayudar al prójimo. Se atan con facilidad y no siempre son felices en el amor. Tienen pocos amigos, pues les gusta estar solas la mayor parte del tiempo.
Santas: Santa Flora, mártir; nacida en Córdoba, en el siglo IX, de un musulmán y de una cristiana. Santa Flor, religiosa de San Juan de Jerusalén.
Personaje célebre: Flora, diosa itálica de las flores y de los jardines.

FLORENCIA:

En francés: Florence.
En inglés: Florence.
En alemán: Florence.
En italiano: Fiorenze.
Derivado de Flora.
Rasgos característicos: los mismos que para Flora.
Santa: Santa Florencia, mártir en Languedoc.
Personaje célebre: Florencia Nightingale, célebre enfermera inglesa nacida en Florencia.

FLORENTINO:

Etimología: del latín. De la raíz *flora*, *flor*, proceden varios nombres.

Santo: San Florentino, abad, muerto en Arles hacia el 553.

FLORIÁN:

Etimología: del latín.

Santo: San Florián, patrón de Austria.

Personajes célebres: veterano del ejército romano. Florián, fabulista francés del siglo XVIII.

FORTUNATO:

Etimología: del latín *fortunatus*, favorecido por la suerte.

Santo: San Fortunato Venancio, obispo de Poitiers.

FRANCIS:

Derivado de Francisco.

Personajes célebres: Francis Bacon, pintor inglés. Francis López, compositor.

FRANCISCA:

En francés: Françoise.

En inglés: Frances.

En alemán: Francisca.

Etimología: la misma que para Francisco.

Santa: Santa Francisca Romana (1384-1440), modelo de esposa y de madre, fundadora del Instituto de los Oblatos de la Tour-des-Miroirs. Patrona de los emigrantes.

Personaje célebre: Françoise Sagan, escritora francesa.

FRANCISCO:

En francés: François.

En inglés: Francis.

En alemán: Franz.

En italiano: Francesco.

Etimología: del alto alemán latinizado; significa franco, libre.

Rasgos característicos: son positivos, de ideas claras, les gusta la acción y la disciplina, están dotados para todo tipo de oficios. Pueden orientar sus esfuerzos en varias direcciones al mismo tiempo. Son trabajadores por naturaleza y les gusta su trabajo, pueden estar seguros del éxito en los negocios. Saben observar y sacar provecho de lo que ven. Son sentimentales y grandes enamorados de la vida. Les gustan mucho los niños y tener una gran familia.

Santos: San Francisco de Asís (1182-1226), fundador de todas las órdenes franciscanas. Patrón de los talladores y de los tapiceros. San Francisco de Paúl (1416-1508), fundador de la orden de los Mínimos. San Francisco Javier (1506-1552), discípulo de San Ignacio, patrón de la India, de Mongolia, de Pakistán, de las misiones, del turismo y de la propagación de la fe. San Francisco de Sales (1567-1622), obispo de Ginebra. Patrón de los escritores y de los periodistas. San Francisco de Borja, grande de España en el siglo XVI. San Francisco Régis, apóstol de los gevenos.

Personajes célebres: dos reyes de Francia (Francisco I y Francisco II). Varios emperadores de Alemania y de Austria. Franz Liszt, compositor y pianista húngaro. Franz Schubert, compositor austriaco. François Mauriac, escritor francés. François Villon, escritor y poeta. François Rabelais, humanista y escritor francés.

Obras: *François le Bossu,* de la condesa de Ségur. *François le Champi*, de G. Sand. *François le Bas-Bleus*, de Messager.

FRINE:

Etimología: del griego *phryne*, «sapo», dado como sobrenombre a algunas cortesanas atenienses por su tez morena.

Personaje célebre: amiga de Praxíteles, que consiguió ser absuelta del delito de impiedad exhibiendo ante los jueces su perfecta desnudez.

FROILÁN:

Etimología: del germánico, derivado de *frauji*, «señor», y quizás, *land*, «tierra, país».

Personajes célebres: rey de Asturias en la variante Fruela. Santo obispo de León, siglos IX-X.

FRUCTUOSO:

Etimología: del latín *fructuosus*, «fructuoso, que da fruto».

Personaje célebre: obispo de Tarragona, martirizado en el siglo III.

FUENSANTA:

Advocación mariana relativa a Nuestra Señora de la Fuensanta, patrona de Murcia desde la milagrosa curación obrada por una pequeña imagen de la Virgen hallada cerca de una fuente.

FULGENCIO:

Santo: San Fulgencio, obispo de África, nacido en Telepte.

G

GABRIEL:

En francés: Gabriel.
En inglés: Gabriel.
En alemán: Gabriel.
En italiano: Gabriello.
Etimología: del hebreo, fuerte, el hombre de Dios.
Rasgos característicos: son imaginativos, consagrados intensamente al trabajo, muy vivos y les gusta la acción rápida. Son puntuales, ordenados y excelentes en los negocios. Son finos, espirituales, de carácter amable, pero también un poco caprichosos e irritables y se creen perseguidos, lo cual les lleva a veces a crisis de inquietud que, en realidad, son crisis de conciencia. No están hechos para las grandes empresas ni para las luchas encarnecidas. En el amor, no son demasiado exigentes.

Santos: San Gabriel Arcángel, el mensajero de la Anunciación. San Gabriel Perboyre, misionero y mártir. San Gabriel de la Madre de los Dolores, religioso pasionista, muerto en 1862.
Personaje célebre: Gabriel Fauré, músico francés.

GABRIELA:

Femenino de Gabriel.
Rasgos característicos: los mismos que para Gabriel. Aunque las mujeres son más sentimentales que los hombres y son excelentes esposas.
Personaje célebre: Gabriela d'Estrées, amante de Enrique IV.

GASPAR:

Etimología: del hebreo, formado del persa, tesorero.
Santo: San Gaspar, uno de los tres Reyes Magos, el que se representa generalmente con la piel oscura.
Obra: *La Fortune de Gaspard*, de la condesa de Ségur.

GEDEÓN:

Etimología: del hebreo *gid'on*, quizá «valentón». O, para otros, de *gadehon*, «el que rompe, el que humilla».
Personaje célebre: juez de Israel que liberó a su pueblo de la esclavitud madianita.

GEMMA:

Etimología: del latín *gemma*, «gema, piedra preciosa», por extensión del sentido originario de «yema, botón, brote de una planta».
Santa: Santa Gemma Galgani, Lucca, Italia.

GENOVEVA:

En francés: Genevieve.
En inglés: Genoveva.
En alemán: Genoveva.
En italiano: Genoveffa.
Etimología: palabra céltica incierta, cara pálida.
Rasgos característicos: dedicadas a sus semejantes. Reprimen la emoción que sienten interiormente. Son muy sensibles, muy dulces y valientes hasta el heroísmo. Saben lo que quieren al tiempo que derraman simplicidad. En el amor, son más bien exigentes. No desean mal a nadie y la mediocridad y la cobardía les horrorizan.
Santa: Santa Genoveva (420-512), nacida en Nanterre, muerta en París, ciudad a la que salvó de la invasión de los hunos y de Atila. Patrona de la ciudad de París, de la gendarmería, de la policía y de las pastoras.
Personajes célebres: Anne-Geneviève de Longueville, duquesa y hermana del Gran Condé. Genoveva de Brabante, heroína de una de las leyendas más célebres de la Edad Media europea.

GERARDO:

En francés: Gérard.
En inglés: Gerald.
En alemán: Gerhardt.
En italiano: Gerardo.
Etimología: del sajón, lanza atrevida.
Rasgos característicos: son imaginativos, idealistas, de naturaleza intuitiva, carecen con frecuencia

de espíritu práctico. Son corteses, caballerosos, con un carácter un poco fantástico, pero a menudo tímidos. Adoran la vida de familia y son excelentes maridos. Aman ardientemente, con todo su corazón, y buscan ante todo la elegancia en el amor.

Santo: San Gerardo (890-959), primeramente soldado, luego fundador del monasterio de Brogne, cerca de Namur.

Personajes célebres: Gérard de Nerval, poeta francés del siglo XIX. Gérard, pintor francés neoclásico. Gérard, mariscal de Francia en 1830. Gérard Don, pintor holandés.

Obra: *Le Mariage*, de Gérard de Theuriet.

GERMÁN:

En francés: Germain.

En inglés: German.

En alemán: Hermann.

Etimología: del sajón, lancero, guerrero.

Rasgos característicos: son muy realistas y prácticos y tienen sentido de la iniciativa. Les gusta el orden, la puntualidad, la tranquilidad y una vida bien organizada. Su susceptibilidad, muy viva, no se exterioriza en absoluto. En el amor son razonables y no se dejan engatusar fácilmente.

Santos: San Germán (390-448), obispo de Auxerre, que consagró a Dios a Santa Genoveva en el siglo V y a quien está dedicada la iglesia Saint-Germainl'Auxerrois de París. San Germán (494-576), borgoñón, abad de Saint-Symphorien d'Autun, y luego obispo de París.

Personajes célebres: Germanicus, abuelo de Nerón. Germain Pitan, escultor francés.

GERÓNIMO:

Rasgos característicos: son joviales, afectuosos, ardientes, a veces se dejan arrastrar por sus emociones. Están dispuestos a entregarse, a darse a una causa y son fieles y están apegados a su hogar. Son bastante poco objetivos, pero consiguen definirse al menos con suficiente lucidez. Por lo tanto, son seres inquietos y difíciles a veces de soportar.

GERTRUDIS:

Etimología: del sajón, lanza fiel o virgen con la lanza.

Rasgos característicos: personas de buen carácter, llenas de buenas intenciones, no pasan fácilmente a la acción. Padecen un complejo de inferioridad que les hace temer exteriorizar sus sentimientos amorosos.

Santas: Santa Gertrudis de Eisleben, nacida en Sajonia, gran mística iluminada por las revelaciones.

Obra: *Gertrudis y Verónica*, de A. Theuriet.

GERVASIO:

Etimología: del latín, formado sobre el germánico.

Rasgos característicos: gozan de una gran facilidad de adaptación, de un juicio sano, se aplican bien en el trabajo y les gusta el orden y la justicia.

Santo: San Gervasio, mártir en Milán bajo Nerón.

GETULIO:

Etimología: del latín *geatulus*, nombre de una tribu norteafricana (los gétulos). Quizás derivación de *gaesus*, «dardo».

GIL:

En francés: Gilles.
En inglés: Gilles y Gill.
En alemán: Gill, Agidius y Agilius.
En italiano: Gilis.
Etimología: Gil se decía también a veces Egido. En esta forma es en la que hay que buscar el origen del nombre, del griego *aiges*, grandes olas, es decir, hombre de la mar encrespada.
Rasgos característicos: son amigos seguros, fieles, abnegados y con sentido de la realidad. Son un poco melancólicos y en ocasiones olvidan tener en cuenta el carácter de los demás. Tienen sentido de la fantasía y aman demasiado, hasta dominar. Su tendencia a la violencia daña su vida amorosa.
Santo: San Gil o Egido, nacido en Atenas, fundó un monasterio en Nimes en el siglo VIII. Se le invoca contra las epidemias.
Personaje célebre: Gilles de Rais, bandido francés, inspirador de la leyenda de Barba Azul.

GILBERTO:

En francés: Gilbert.
En inglés: Gilbert.
En alemán: Gilbert.
En italiano: Gilberto.
Etimología: del celta, compañía brillante.

Rasgos característicos: muy inteligentes, francos, muy leales, muy desenvueltos y un poco perezosos. Vivos, ardientes, aunque reservados, les gusta ser adulados y se sienten atraídos por las personas que son superiores a ellos.

Santos: San Gilberto de Sempringham (1083-1189), hijo de un compañero de Guillermo el Conquistador. San Gilberto, obispo de Meaux. San Gilberto, cruzado y monje.

Personajes célebres: Gilbert, poeta del siglo XVIII. Gilbert Cesbron, novelista contemporáneo. Gilbert Bécaud, estrella de la canción moderna.

GILDA:

Etimología: del germánico *gild*, «tributo, impuesto». Nombre famoso a partir de una película de los años 40.

GINÉS:

Etimología: del latín *genesius*, y éste del griego *génesis* «origen, nacimiento». *genesios*, «protector de la familia». También posee un posible parentesco con el latín *Genista*, «retama», y también «enhiesto, derecho».

GISELA:

Personajes célebres: Gisela Pascal. Gisela, hija del rey de Francia Carlos el simple.

Rasgos característicos: cuando encuentra su equilibrio, lo cual no es fácil, puede llegar a ser una mujer notable y muy llamativa. Su número es el 3 y su color el amarillo.

GLORIA:

Etimología: del latín *gloria*, «fama, reputación». Nombre cristiano alusivo a la Pascua de Resurrección o Domingo de Gloria.

GODIVA:

En francés: Godelièv e, Godive.
En inglés: Godiva.
En alemán: Godiva.
En italiano: Godiva.
Etimología: del germánico *god-gifu*, «regalo de Dios».
Personaje célebre: lady Godiva de Coventry, esposa de Leofric, conde de Mercia, que para obtener de su marido un mejor trato para sus súbditos, cabalgó desnuda por la población sin ser vista por éstos, que voluntariamente se encerraron en sus casas.

GODOFREDO:

En francés: Gofroi.
En inglés: Godfrey.
En alemán: Gottfield.
En italiano: Goffredo.
Etimología: se encuentra unas veces la forma Godefroi o Godefroy y otras la de Geoffroi o Geoffroy, pero todos estos nombres están ligados a la misma etimología, del alto alemán, paz de Dios.
Rasgos característicos: son valerosos, perseverantes y tranquilos. En el amor, su característica es el cariño real.
Santo: San Godofredo, obispo de Amiens en el siglo XII.

Personaje célebre: Godofredo de Bonillon, jefe de la primera cruzada.

GONZALO:

En francés: Gonsalve.
En italiano: Gonsalvo.
Etimología: del antiguo nombre Gonzalvo, contracción a su vez de Gundisalvo, hoy sólo sobreviviente como apellido. *De gund*, «lucha»; *all*, «total»; *vus*, «dispuesto, preparado»: «guerrero totalmente dispuesto para la lucha».

GRACIA:

En francés: Grâce, Grazia o Graziella.
En inglés: Grace.
En alemán: Grace.
Etimología: del latín, *gratia*, gracia o graciosa.
Rasgos característicos: prácticas y encantadoras, son buenas esposas.
Personaje célebre: Grace Kelly, actriz de cine y esposa del príncipe Rainiero III de Mónaco.
Obra: *Graziella*, de Lamartine.

GREGORIO:

En francés: Grégoire.
En inglés: Gregory.
En alemán: Gregor.
En italiano: Gregorio.
Etimología: del griego, atento, vigilante.
Rasgos característicos: tienen poca imaginación, pero sí prudencia, una gran dignidad de vida, un juicio sano y bien equilibrado. A veces son un poco severos con los demás.

Santo: San Gregorio I el Grande, papa, doctor de la Iglesia, a quien se debe el envío de misioneros para la evangelización de Gran Bretaña, el «Canto Gregoriano» y la reforma de la liturgia. Patrón de los cantores y de los fabricantes de instrumentos musicales. San Gregorio Nacianceno, patriarca de Constantinopla. San Gregorio II, San Gregorio III y San Gregorio VII, papas. San Gregorio de Nysse, doctor de la Iglesia de Oriente.

Personajes célebres: seis papas, Gregorio de Tours, obispo e historiador. Gregory Peck, actor de cine americano.

GRETA:

Nombre sinónimo de Margarita, muy popular en los países nórdicos.

Personaje célebre: Greta Garbo, actriz.

GUADALUPE:

Etimología: del árabe *wadi al-iub*, «río de cantos negros». Otras etimologías populares son: desde *wadi-lupi*, «río de lobos» que abrevaban cerca del santuario, hasta la náhuatl *coatlaxopeuh*, «la que pisoteó la serpiente».

Santa: Virgen patrona de México, donde su nombre está muy extendido.

GUENDALINA:

Más que un nombre, es una constelación de ellos: Gundelina, Gundelinda, Guendolina, Guvendolina... y otra constelación de interpretaciones: «la de blancas pestañas»; «la del círculo blanco»; «mujer dulce». En los países anglosajones, en la forma *Gwendolyne* es considerada equivalente a Genoveva.

GUILLERMO:

En francés: Guillaume.
En inglés: William.
En alemán: Wulheim.
Etimología: del alto alemán, pertrechado de voluntad, que tiene la cabeza voluntariosa.
Rasgos característicos: son brillantes, sensibles, elegantes, no retroceden ante nada. Son muy decididos, de naturaleza compleja, capaces de ser al mismo tiempo generosos y egoístas. Con frecuencia alcanzan el éxito. Son muy fieles en el amor y hacen todo lo posible por asegurar la felicidad de su amada.
Santos: San Guillermo, monje de Nevers, arzobispo de Bourges. San Guillermo el Grande, vencedor de los sarracenos y fundador del monasterio. San Guillermo del Desierto. San Guillermo Pinchon (1180-1234), cura bretón que se convirtió en obispo de Saint-Briec. San Guillermo, abad de Santa Benigna de Dijon.
Personajes célebres: varios reyes y príncipes de Alemania, de los Países Bajos y de Inglaterra. Guillermo Tell, héroe legendario de la independencia helvética. Guillermo III, príncipe de Orange, adversario de Luis XIV. Guillaume Apollinaire, poeta francés.

GUIOMAR:

Etimología: del germánico *wig-maru*, «mujer ilustre». Popular en los países de habla portuguesa.

GUMERSINDO:

Etimología: del germánico *guma-swind*, «hombre fuerte». O de *guma-sind*, «expedición de guerreros».

GUSTAVO:

En francés: Gustave.
En inglés: Gustavus.
En alemán: Gustav.
En italiano: Gustavo.
Etimología: del sueco, escéptico del rey.
Rasgos característicos: están dotados de una inteligencia clara y positiva, de naturaleza influenciable, son más realistas que idealistas. Les gusta la acción y una vida muy movida. Se atan fácilmente y se desatan con mucha dificultad.
Personajes célebres: Gustavo Vasa, primer rey moderno de Suecia. Gustave Flaubert, novelista francés y autor de *Madame Bovary*. Gustavo Adolfo el Grande, héroe de la guerra de los Treinta Años. Gustave Nadaud, cantante. Gustave Doré, ilustrador francés.

HAIDEE:

Etimología: del griego moderno *waïdé*, y éste del verbo *xaïdéyo*, «acariciar»: «la acariciada, la mimada». Puede ser igualmente relacionado con *aídos*, «respetable».

HAROLDO:

Etimología: del germánico *hari-ald*, «pueblo ilustre».
Personajes célebres: varios reyes noruegos, ingleses y daneses.

HÉCTOR:

Etimología: del griego.
Personajes célebres: Héctor es el nombre del más valiente de los jefes troyanos, hijo de Príamo y marido de Andrómaca. Hector Berlioz, compositor francés. Hector Malot, novelista francés.

HELADIO O ELADIO:

Etimología: del griego *helladios*, «de la Hélade, griego».

HELENA o ELENA:

En francés: Hélène.
En inglés: Helen.
En alemán: Helena.
En italiano: Elena.
Etimología: del griego, resplandor del sol, luminosa.
Rasgos característicos: son de naturaleza apasionada, imaginativa, brillante, novelesca y coqueta. Saben mejor que nadie cómo llegar a ser grandes enamoradas.
Santa: Santa Elena, emperatriz de Roma en el siglo IV, madre del emperador Constantino.
Personajes célebres: Elena, reina de Italia, esposa de Víctor Manuel III. Elena de Troya, célebre por su belleza. Hélene Boucher, heroína de la aviación.
Obras: *Hélène*, de A. Theuriet. *La Belle Hélène*, de Offenbach. Hélène, del soneto de Ronsard.

HELGA:

Etimología: del antiguo adjetivo sueco *helagher*, «feliz, próspero», que derivó a «invulnerable» y posteriormente a «santo».
De gran popularidad en España hace años a raíz de una película.

HÉRCULES:

Etimología: nombre sacado de la mitología romana, héroe que personifica la fuerza.

HERIBERTO:

En francés: Herbert.
En inglés: Herbert.
En alemán: Herbert.
Etimología: del germánico *hari-berht*, «ejército famoso».

HERMELANDO:

Variante de Ermelando.

HERMENEGILDO:

Etimología: del germánico *ermin-hild*, «guerrero ermión». Otros interpretan airmanagild, «valor del ganado».
Santo: mártir español, hijo del rey visigodo Recaredo, siglo VI.

HERMINIA:

Rasgos característicos: son extremadamente celosas, aunque tratan de contenerse mediante el razonamiento y la flexibilidad de espíritu; al final salen victoriosas. Apasionadas por todo, se lanzan desesperadamente hacia lo que quieren conseguir con una furia salvaje, defendiendo de la misma manera lo que ya han conseguido.

HERNÁN:

Etimología: la misma que para Fernando.
Rasgos característicos: son ágiles y finos; se adaptan más fácilmente a la vida y no se arriesgan a toparse con fracasos. Son muy valientes y agradables, les gusta ayudar al prójimo.

Santo: San Ferdinand de Cajazzo, en Italia, siglo XI.
Personajes célebres: Hernán Cortés, capitán español. Hernán Magallanes, explorador.
Obra: *Fernand*, de Jules Sandeau.

HESPERIA:

Etimología: nombre femenino inspirado en el antiguo de la Península Ibérica. Y éste del griego *Hesperos*, «el que sigue a la estrella vespertina, el occidente» (aludiendo a la posición de la península para los griegos).

HILARIO:

Etimología: del latín, alegre, gozoso.
Santos: San Hilario (303-366), confesor y doctor, obispo de Poitiers. San Hilario, obispo de Arlés. San Hilario, papa.

HILDA:

Etimología: nombre de la principal de las valquirias germánicas, *Hildr* (de *hilds*, «combate, guerrero»).
Santa: Santa Hilda, abadesa de Whitby en Inglaterra, siglo VII.

HILDEBRANDO:

Etimología: del germánico *hild*, «guerrero», y *brand*, cuyo sentido primario es «fuego», de donde deriva a significados como «oscilar, blandir» y «espada» como en el caso presente: «espada del guerrero».
Personaje célebre: nombre llevado por el que sería papa Gregorio VII, siglo XI.

HILDEGARDA:

En francés: Hildegarde.
En inglés: Hildegard.
En alemán: Hildegard.
En italiano: Ildegarda.
Etimología: del germánico *hild-gard*, «guerrero vigilante». Para la versión femenina, *hilt-gart*, «jardín de sabiduría».

HIPÓLITO:

Etimología: del griego, que desata los caballos.
Santo: San Hipólito, cura romano y mártir (170-235), adversario de los gnósticos.
Personajes célebres: Hipólito Flandrin, pintor francés. Hipólito Fontaine, ingeniero francés.
Obra: *Hippolyte et Aricie*, tragedia lírica de Rameau (1733), libreto de Pellegrin, una de las obras capitales de la ópera francesa.

HOMERO:

Etimología: del griego *ho-me-oron*, «el que no ve», o también de *omeros*, «rehén».
Personaje célebre: poeta griego del siglo VIII a.C., autor de *La Ilíada* y *La Odisea.*

HONORATO, HONORIO:

En francés: Honoré, Honorat.
En inglés: Honoratius.
En alemán: Honorius
En italiano: Onorio.
Etimología: del latín, que recibe honores.
Rasgos característicos: son buenos trabajadores y no buscan la gloria. De carácter modesto,

son muy independientes y no les gusta pedir favores a nadie.

Santos: San Honorato, obispo de Amiens en el siglo VII, patrón de los panaderos y de los pasteleros. San Honorato, arzobispo de Arles, fundador del Monasterio de las Islas de Lerins. San Honorato, mártir de Poiton.

Personajes célebres: Honoré de Balzac, novelista francés. Honoré de Racan, poeta francés, Honoré Daumier, pintor, litógrafo y escultor francés.

HORACIO:

Etimología: incierta.

Personajes célebres: Horacio fue el nombre de tres hermanos romanos que lucharon por Roma, bajo el reinado de Tullius Hosrilius, contra los tres Curiace, campeones de la ciudad de Alba. Horacio Nelson, almirante británico

Obra: *Horace*, tragedia de Corneille.

HORTENSIA:

Etimología: del latín, *hortensia*, la granjera. Este nombre es en principio masculino, pero casi siempre lo llevan las mujeres.

Rasgos característicos: no se las aprecia todo lo que se merecen. Son un poco distantes, no son triviales, tal vez desdeñosas. No hacen que los que las rodean se aprovechen suficientemente de su valor.

Santo: San Hortensio, obispo de Cesárea.

Personajes célebres: Hortensia de Beauharnais, reina de Holanda (1806-1810). Hortensius Hortalus, orador romano.

HUGO:

En francés: Hugues.
En inglés: Hugh.
En alemán: Hugo.
En italiano: Ugo.
Etimología: del germánico o escandinavo, hombre de espíritu.
Rasgos característicos: tienen un carácter bastante rudo y son orgullosos por naturaleza, distantes y poco cómodos. Son leales, sensibles y muy ardientes, se entregan en cuerpo y alma al objeto amado.

Son celosos y vigilan al ser amado, actitud que les hace rápidamente insoportables. Serían más felices en el amor si se deshicieran de sus defectos.

Santos: San Hugo, obispo de Grenoble. San Hugo, obispo de París, de Bayeux y después arzobispo de Rouen en el siglo VIII. San Hugo, abad de Cluny, en el siglo XI.
Personajes célebres: Hugo Capeto, duque de Francia (956-987), y después rey. Hugo el Grande, conde de París, duque de Francia. Hugo de Payns, fundador de la orden de los templarios en 1119. Hugo Aufray, estrella de la canción francesa.

ICIAR:

Adaptación al castellano del nombre vasco *Itziar*, posible topónimo (*iz-i-ar*, «altura encarada al mar»).

IGNACIO:

En francés: Ignace.
En inglés: Ignatius.
En alemán: Ignaz.
En italiano: Ignazio.
Etimología: del griego, lleno de amor, de celo.
Rasgos característicos: educados, amables, inteligentes, poco imaginativos, bastante fríos y diestros; triunfan en la vida.
Santos: San Ignacio, obispo de Antioquía y mártir en el siglo II. San Ignacio de Loyola (1491-1556), oficial español, convertido en el sitio de Pamplona, fundador de la Compañía de Jesús. Se

le invoca para liberar las conciencias escrupulosas.

Personaje célebre: Ignacy Paderewski, compositor y pianista polaco.

IGOR:

Etimología: del germánico *ing-warr*, nombre que alude al dios Ingvi, con el sufijo *wari*, «defensor».

Santo: San Igor, duque de Kiev en el siglo XII.

ILDEFONSO:

Etimología: del germánico *hilds*, variante de *hathus*, de formación análoga a Alfonso, del cual se considera equivalente.

Confundido con Adalfonso.

IMELDA:

Etimología: del germánico *irmhiild*, a su vez de *airmans*, e *hild,«guerrero»*. Forma italiana de Ermenilda.

Santa: Imelda Lambertini, beata.

INDALECIO:

Etimología: nombre genuinamente ibero, relacionado tradicionalmente con la palabra vasca similar *inda*, «fuerza».

INÉS:

En francés: Agnes.

En inglés: Agnes.

En alemán: Agnes.

Etimología: del griego, inocente, pura, casta.

Rasgos característicos: son sinceras, sencillas, tiernas, un poco replegadas en sí mismas, de costumbres puras y de carácter uniforme. Tienen una voluntad firme, rígida, y se imponen una disciplina severa; les horroriza lo imprevisto, aunque tienen un sentido práctico real. Son sonrientes, amables y tienen una abnegación silenciosa.

Santa: Santa Inés, virgen, de familia noble, de Salerno. A los trece años rechazó la pretensión de casarse con el hijo del prefecto de Roma. Reconocida como cristiana, fue perseguida y detenida bajo el emperador Decio, en el 304.

Personajes célebres: Inés de Francia, emperatriz bizantina, hija de Luis VII. Inés Sorel, la «Dama de la Belleza», favorita de Carlos VII.

INGA:

Etimología: nombre sueco derivado de la voz *ingvi*, alusiva a la tribu de los ingviones.

INMACULADA:

Etimología: del latín *In-macula*, «sin mácula, sin mancha». Nombre místico mariano, alusivo a la Inmaculada Concepción, proclamada dogma por Pío IX.

ÍÑIGO:

Etimología: resultado de la evolución del antiquísimo nombre Vasco Eneko, de origen incierto: se ha propuesto el topónimo *en-ko*, «lugar en la pendiente de una extremidad montañosa».

Personaje célebre: Íñigo López de Recalde.

IRENE:

En francés: Irène.
En inglés: Irene.
En alemán: Irene.
Etimología: del latín, formado del griego, apacible.
Rasgos característicos: de naturaleza tranquila, son graciosas, atractivas y seductoras. Son tímidas y capaces de descubrir los defectos ocultos en las demás personas. Si no fueran tan desconfiadas, gozarían de la verdadera felicidad en el hogar. Su sentimentalismo les juega a veces muy malas pasadas.
Santas: Santa Irene, mártir en Tesalónica. Santa Irene, mártir en Portugal. Santa Irene, emperadora de Bizancio.
Personaje célebre: Irène Joliot-Curie, hija de Marie Curie.
Obra: *Iréne*, última tragedia de Voltaire (1778).

IRIS:

Etimología: del griego *Eiro*, «anunciar».
Santa: en la religión cristiana, nombre femenino derivado de la Virgen del Arco Iris. Mensajera de los dioses.

IRMA:

Etimológia: variante de Erminia.

ISAAC:

Etimología: del hebreo, aquél a quien Dios sonríe.
Santos: San Isaac, monje español, martirizado en Córdoba en el siglo IX. San Isaac Jogues (1607-1646), originario de Orleans, evangelizador

de la región de los grandes lagos de Canadá, mártir.

Personajes célebres: Isaac I, emperador de Oriente. Isaac Newton, matemático, físico, astrónomo y filósofo británico.

ISABEL:

En francés: Isabelle.

En inglés: Elizabeth.

En alemán: Isabella .d

Etimología: Isabel es el equivalente de Elisabeth y procede del español, del que saca su sentido.

Rasgos característicos: muy inteligentes, se adaptan a todo tipo de situaciones. Tienen una voluntad flexible, un corazón muy cálido, muy vibrante y pasan muy fácilmente de la risa al llanto. En el amor, son muy afectuosas, cariñosas y buenas esposas.

Santa: Santa Isabel de Francia (1224-1270), hermana de San Luis, fundadora de la Abadía de Longchamp, cerca de París, en el siglo XIII. Personajes célebres: nombre llevado por varias reinas de España y Portugal.

ISIDRO, ISIDORO:

Etimología: del latín, formado del griego, don de la diosa Isis.

Rasgos característicos: leales, honrados y eruditos, sienten inclinación hacia la ciencia. No son muy desenvueltos, no cambian con frecuencia de empleo y pronto se conforman con su suerte. Son buenos maridos.

Santos: existen varios santos con este nombre. El más popular es San Isidro Labrador (1110-1170), piadoso agricultor sin historia. Patrón de los labradores y de la ciudad de Madrid.

ISMAEL:

Etimología: del hebreo *ichma* o *isma-el*, «Dios escucha».

Personaje célebre: progenitor del pueblo árabe.

ISRAEL:

Etimología: del hebreo, fuerte contra Dios.

Personaje célebre: Israel, nombre dado a Jacob después de su lucha contra el ángel.

IVÁN:

Nombre ruso que equivale a Juan.

Personaje célebre: Iván el Terrible. Iván Tourguéniev, novelista ruso.

IVO:

En francés: Yves / Yvonne.

En inglés: Ivo.

En alemán: Ivo

En italiano: Ivo / Ivone-

Etimología: nombre germánico del mismo origen que Iván, procedente de Francia.

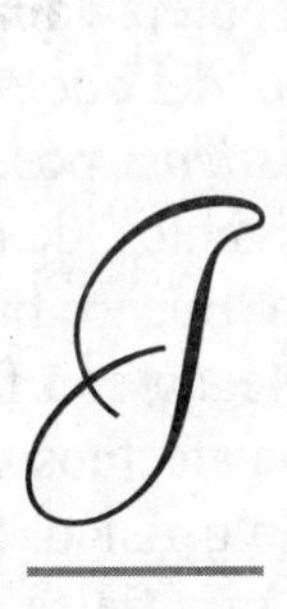

JACINTO:

En francés: Hyacinthe.
En inglés: Hyacinthus.
En alemán: Hyacinthus.
En italiano: Giacinto.
Etimología: del latín, formado sobre el griego, flor y piedra preciosa. Este nombre puede ser también femenino, con Santa Jacinta Mariscotti, religiosa italiana del siglo XVII, como patrona.
Santo: San Jacinto, religioso polaco. Era dominico e introdujo su orden en Polonia en 1221.
Personaje célebre: Jacinto Rigaud, pintor francés.

JACOB:

Etimología: del hebreo, usurpador.
Santo: San Jacob, obispo de Toul en el siglo VIII.
Personaje célebre: Jacob, hijo de Isaac y de Rebeca.

JAIME, SANTIAGO:

En francés: Jacques.

En inglés: James.

En alemán: Jacob.

Etimología: del hebreo. Jaime es el mismo nombre que Jacob, del que obtiene el sentido.

Rasgos característicos: poseen una gran memoria, son inteligentes, de espíritu positivo y poco fantástico. Buenos habladores, de buena apariencia, llegan con facilidad al rango de las élites. Son afectuosos, ardientes, poseen mucho encanto físico. Se encuentran entre las personas más fieles que puedan existir y están muy apegados a su hogar.

Santos: Santiago el Mayor, hijo de Zebedeo, hermano de San Juan Evangelista, pescador, pariente por su madre de Jesús y de María. Fue el primer mártir de los doce apóstoles. Patrón de los sombrereros, de los molineros, de los peregrinos, de los farmacéuticos, de España, de Guatemala y de Nicaragua. Se le invoca contra el reumatismo. Santiago el Menor, hijo de Alfeo, primo de Jesús, hermano de San Simón y de San Judas, primer obispo de Jerusalén. Santiago, antiguo soldado griego y ermitaño en la Chapelle-d'Angillon.

Personajes célebres: tres reyes de Inglaterra, siete reyes de Escocia, dos reyes de Aragón, tres de Mallorca, entre los que figura Jaime Estuardo. Jacques Copeau, renovador francés del teatro contemporáneo. Jacques Lipchitz, célebre escultor lituano nacionalizado francés. James Cagney, actor americano.

Obras: *Le Petit Jacques*, de Jules Clarettie. *Jacques le Fataliste et son maître*, de Diderot.

JAVIER:

Ver Xavier.

JEREMÍAS:

Etimología: del hebreo, elevación del Señor.
Personajes célebres: Jeremías, uno de los cuatro grandes profetas de Israel.

JERÓNIMO:

En francés: Jérôme.
En inglés: Jerome.
En alemán: Hieronymus.
En italiano: Girolamo.
Etimología: del griego, nombre sagrado.
Rasgos característicos: de naturaleza ardiente y llena de seguridad. Están bien dotados, pero son orgullosos. En el amor son tiernos e independientes, es su orgullo el que les hace obrar así.
Santo: San Jerónimo, doctor de la Iglesia, nacido en Dalmacia hacia el 331, muerto en Belén en el 420, traductor de la Biblia en lengua latina.
Personajes célebres: Jerónimo Bonaparte, hermano menor de Napoleón. Jerome Kern, compositor americano. Jeróme Bosch, pintor holandés. Jeróme Cardan, filósofo.
Obra: *Jérôme Coignard*, de Anatole, France.

JESSICA:

Etimología: diminutivo femenino de Jessé (Dios es). Padre de David.

Rasgos característicos: activa y trabajadora. Es una mujer sólida con la que se puede contar, aunque tal vez un poco demasiado seria.

JESÚS:

En francés: Jésus.

En inglés: Jesus.

En italiano: Gesú.

Nombre poco usado en los primeros tiempos del cristianismo, por considerarse su uso irreverente, es hoy uno de los nombres más populares en España e Iberoamérica.

Etimología: derivación de Yehoshúah (del cual derivaron Joshua y Josué).

JOAQUÍN:

Etimología: del latín, formado del hebreo, antepasado del Señor.

Rasgos característicos: son leales, inteligentes y no temen nada. En el amor prefieren no amar ni ser amados más que una vez.

Santos: San Joaquín, esposo de Santa Ana y padre de la Santísima Virgen.

Personajes célebres: Joaquín Murat, mariscal del imperio napoleónico y rey de Nápoles. Joaquín de Flore, místico italiano.

JOEL:

En francés: Joël.

En inglés: Joel.

En alemán: Joel.
En italiano: Gioele.
Etimología: del hebreo *Yo'el*, «Dios es Dios».

JONÁS:

Etimología: del hebreo, paloma.
Personaje célebre: Jonás, uno de los doce profetas menores. Mártir en Persia en el siglo IV.

JONATÁN:

En francés: Jonathan.
En inglés: Jonathan.
En alemán: Jonathan.
En italiano: Gionata.
Etimología: del hebreo *Jo-nathan*, «don de Dios». Coincidente con Doroteo.

JORGE:

En francés: Georges.
En inglés: George.
En alemán: Georg.
En italiano: Giorgio.
Etimología: del griego, agricultor.
Rasgos característicos: de espíritu escéptico, cáustico y un físico agradable. Son minuciosos, ordenados e inteligentes. Difíciles de satisfacer. Están llamados a desempeñar papeles brillantes y pueden acceder a los puestos más elevados. Muy entregados a las personas que aman; al tener un encanto romantico, hacen conquistas rápidamente. Son optimistas y están satisfechos de sí mismos con facilidad, pero a veces son un poco violentos.

Santos: San Jorge, nacido en Capadocia, soldado, condenado a muerte por su fe bajo Diocleciano. No pocas órdenes de caballería tomaron en la Edad Media a San Jorge como patrón. Patrón de Inglaterra, de Rusia, de Turquía, de los caballeros, de los soldados y de los *scouts*.

Personajes célebres: seis reyes de Inglaterra y varios príncipes de las casas reales de Grecia, de Dinamarca, de Rusia y de Sajonia. George Washington, primer presidente de los Estados Unidos. Georges Bernanos, escritor francés contemporáneo. Jorge I, rey de Inglaterra. Georges Bizet, compositor francés. Georges Guétary, cantante francés.

Obra: *Georges Dandin*, de Molière.

JOSÉ:

En francés: Joseph.

En inglés: Joseph.

En alemán: Josef.

Etimología: del hebreo, el que se crece.

Rasgos característicos: son tranquilos y reflexivos, sin pretensiones, aunque dotados de cierto amor propio que les empuja a querer obrar bien. Excelentes organizadores, les gusta el trabajo seguido y ordenado. Generalmente consiguen sus propósitos sin gran esfuerzo. Tienen un carácter reflexivo y ordenado. Son algo débiles y lánguidos, se desaniman con facilidad y pueden llegar a ser muy desdichados.

Santos: San José, esposo de la Virgen y padre putativo del Niño Jesús. Patrón de los carpinteros, de los obreros, de los moribundos, de la Iglesia, de Canadá, de Perú y de Vietnam. San José de Cupertino (1603-1663), fraile franciscano al que se invoca en ocasiones para los exámenes.

Personajes célebres: José II, emperador de Austria. José Bonaparte, primogénito de la familia, rey de España. Josf Stalin, dictador ruso. Joseph Montgolfier, inventor del aerostato. Giuseppe Verdi, compositor italiano.

JOSEFINA:

Femenino de José.

Personajes célebres: Josefina de Beauharnais, primera mujer de Napoleón. Joséphine Baker, gran artista del music-hall francés.

JOVITA:

Etimología: gentilicio de Jovis, genitivo de Júpiter. Por su terminación es usado impropiamente como femenino.

JUAN:

En francés: Jean.

En inglés: John y Johnny.

En alemán: Johann y Hans.

En italiano: Giovanni

Etimología: del hebreo, que está lleno de gracia. De todos los nombres adoptados por el mundo cristiano, el de Juan es el que más transformaciones ha sufrido. También es el que más número de santos han llevado.

Rasgos característicos: tienen mucho dominio de sí y son capaces de tomar una decisión inmediatamente. Son caballerosos, de naturaleza apasionada y calurosa; en general son simpáticos. Son realizadores de primer orden y de espíritu inventivo, prefieren la soledad. Les gusta la intimidad del hogar y la entrega familiar; saben hacerse querer, pues aman con el corazón. Tienen una gran facilidad de adaptación, son sensibles y se dejan impresionar fácilmente.

Santos: el santo más grande de los que han llevado este nombre es San Juan Evangelista, hijo de Zebedeo, hermano de Santiago el Mayor, pescador, elegido por Jesús para ser uno de los doce Apóstoles y el discípulo preferido. Patrón de los impresores, libreros, editores y escritores. San Juan Marcos, discípulo de los Apóstoles. San Juan Crisóstomo, patriarca de Constantinopla. San Juan Damasceno, confesor y doctor, combatió la herejía iconoclasta. San Juan Gualbert, caballero florentino del siglo XI. San Juan de Matha (1160-1213), fundador de la orden de los Trinitarios. San Juan Nepomuceno, canónigo de Praga en el siglo XIV. San Juan de Dios, fundador de la orden de los Hermanos Hospitalarios para el cuidado de los enfermos. San Juan de la Cruz (1542-1591), uno de los maestros de la mística cristiana. San Juan Berchmans, confesor. San Juan Budes, fundador de la congregación de los padres de los Sagrados Corazones de Jesús y de

María y de la orden de Nuestra Señora de la Caridad. San Juan Bosco (1815-1888), fundador de la congregación de los salesianos. Patrón de los prestidigitadores. San Juan Discalceat, venerado por los bretones.

Personajes célebres: veintitrés papas han llevado el nombre de Juan, al igual que numerosos soberanos, príncipes y personajes políticos de Francia, Portugal, España, Países escandinavos, etc. El papa Juan XXIII. Juan el Bueno, rey de Francia. Jean-Paul Sartre, escritor francés contemporáneo. Juan de Brujas, autor de los cartones de tapicerías del Apocalipsis. Juan Cabot, explorador italiano que en 1497 dirigió desde Bristol viajes de descubrimiento hacia América del Norte. Jean-Jacques Rousseau, escritor francés. Juan Sebastián Bach, ilustre músico alemán. Juan Luis Barrault, actor francés. Juan Sibelius, músico finlandés. Jean Gabin, actor del cine francés.

JUANA:

En francés: Jeanne, Jeannette.
En inglés: Jane y Joan.
En alemán: Johanna.
En italiano: Giovanna.
Etimología: la misma que para Juan.
Santas: Santa Juana de Arco, heroína francesa, libertadora y patrona de Francia, quemada viva en Rouen. Santa Juana de Valois (1464-1505), hija de Luis XI, fundadora de la orden de las Anunciadas. Santa Juana de Chantal.

Personajes célebres: varias princesas de Navarra, de Flandes, de Borgoña y de Nápoles.

Obras: *Jane Eyre*, de Charlotte Brönte. *Jeanne Michelin*, de H. Bordeaud.

JUAN BAUTISTA:

Etimología: del hebreo, señor y bautizador.

Rasgos característicos: inventivos, espíritus originales, si no se sienten comprendidos por todos y si la muchedumbre no les sigue y no les aprueba, apenas se preocupan, pues prefieren la soledad a la sociedad.

Santos: San Juan Bautista, precursor del Mesías, hijo de Zacarías y de Isabel, que bautizaba en el desierto, de ahí su nombre de Bautista. Patrón de los canadienses franceses, de los cuchilleros, de los afiladores, de los cinceladores y de los toneleros. San Juan Bautista de la Salle (1651-1719), fundador de los Hermanos de las Escuelas Cristianas.

Personajes célebres: Jean-Baptiste Poquelin (Molière). Jean-Baptiste Pigalle, escultor francés. Jean-Baptiste Kléber, general francés.

JUAN MARÍA:

Santo: San Juan María Vianney (1787-1859), párroco francés de la diócesis de Belley; con sus oraciones y sus mortificaciones, realizó conversiones sonadas.

JUDAS:

Etimología: del hebreo, alabanza, honrado.

Santo: San Judas, uno de los doce Apóstoles, mártir

en el siglo I, hermano de Santiago el Menor, evangelizador de Mesopotamia.

JUDITH:

En francés: Judith.
En inglés: Judith.
En alemán: Judith.
En italiano: Giuditta.
Etimología: del latín, formado del hebreo, la que alaba. Heroína bíblica que cortó la cabeza a Holofernes, el general enemigo.
Santa: Santa Judith, mártir en Milán en el siglo VII.
Personaje célebre: Judith de Baviera, segunda esposa de Luis el Piadoso, emperador de Occidente.

JULIA:

Femenino de Julio.
Santa: Santa Julia, virgen y mártir, patrona de Córcega.
Personajes célebres: Julia, hija de Julio César. Julia Christie, actriz del cine inglés. Julie Andrews, actriz del cine inglés y americano.
O*bra*: *Julie ou la Nouvelle Héloise*, de J. J. Rousseau. *Julia*, de Trécoeur, de O. Feuillet.

JULIÁN:

Derivado de Julio.
Santos: San Julián Hospitalario, llamado así debido a su caridad, mártir, venerado sobre todo en España y en Sicilia. Patrón de los viajeros, de los barqueros, de los techadores y de los trovadores. San Julián de Brioude, soldado

romano, martirizado en Brioude en el 304. San Julián, obispo y principal patrón de la diócesis de Mans.

Personaje célebre: Julián Viaud, llamado Pierre Loti, oficial de marina y escritor francés.

Obra: *La leyenda de San Julián el Hospitalario*, de G. Flaubert.

JULIANA:

Femenino de Julián.

Santa: Santa Juliana, martirizada con su hijo San Ciro, patrona de los tintoreros y de Nevers.

JULIO:

En francés: Jules.

En inglés: Julius.

En alemán: Julius.

En italiano: Giulio.

Etimología: del griego, que tiene una cabellera abundante y rizada.

Rasgos característicos: tienen un espíritu práctico, positivo y saben muy bien salir del paso. Ágiles, complacientes, desenvueltos, amables, abnegados generalmente, pueden hacer grandes favores a su prójimo. Tienen un sentimentalismo muy ardiente y un temperamento muy afectuoso y son sinceros en sus declaraciones más exaltadas. A veces llevan un poco lejos su deseo de originalidad y sus aventuras amorosas están frecuentemente llenas de decepción. En ocasiones incluso se ven impulsados a la melancolía.

Santo: San Julio I, papa (del 327 al 352), defensor encarnizado de la fe

Personajes célebres: tres papas, el más célebre de los cuales es Julio II, el gran papa del Renacimiento. Julio César, general, cónsul y dictador vitalicio romano. Jules Mazarin, consejero de Ana de Austria y de Luis XIV. Jules Renard, escritor francés. Julio Verne, escritor francés.

JULIETA:

Femenino de Julio.

Santa: Santa Julieta o Julita, martirizada junto con su hijo San Ciro, patrona de los tintoreros y de Nevers.

JUNÍPERO:

Etimología: del latín Justinus, derivado de Justo. «Conforme al derecho».

JUSTINIANO:

Derivado de Justo.

Santos: San Justiniano, filósofo pagano convertido, doctor de la Iglesia y mártir en el siglo II. Patrón de los filósofos. San Justino, mártir a los nueve años en Louvres. San Justiniano, obispo de Tarbes y mártir.

JUSTO:

Etimología: del latín, justo, hombre íntegro.

Santos: San Justo, arzobispo de Canterbury. San Justo, obispo de Lyon y ermitaño.

Personajes célebres: Justo, familia de escultores procedentes de los alrededores de Florencia.
Obra: *Juste Lobel*, *Alsacien*, de Lichtenberger.

JUVENCIO:

Etimología: del latín.
Personaje célebre: mártir en Roma.

KAREN:

Etimología: del escandinavo.

KARINA:

Rasgos característicos: de voluntad firme, rígida, directa, sin arrebatos; tienen una personalidad desbordante y dan la impresión de tener una gran confianza en sí, pero desgraciadamente esto no es a menudo más que en apariencia. Como tienen una inteligencia despierta, se adaptan a todo y son excelentes en todo lo que se mueve o cambia. Su moralidad es variable.

KOLDO:

Luis, en vasco.

LADISLAO:

Etimología: del eslavo *vladi-slava*, «señor glorioso».
Santo: rey de Hungría en el siglo XI.

LANDELINO:

Etimología: del germánico *land*, «tierra, patria», latinizado con el gentilicio *inus*: «del país, que ama al país».

LANZAROTE:

Etimología: asimilado a Ladislao, aunque posiblemente influido por el prefijo germánico *land*. Adaptación del Lancelot francés, popularizado por el amante de la reina Ginebra en las leyendas de la Tabla Redonda.

LARISSA:

Personaje célebre: mártir.

LAURA:

Etimología: del latín, laurel.

Rasgos característicos: poseen una gran imaginación. Son soñadoras y con frecuencia los sueños ocupan el lugar de la dura realidad en su espíritu. Poseen una fuerte inclinación por la vida fácil y sus placeres. Son muy amantes y sensuales, saben conquistar a los que aman.

Santa: Santa Laura de Córdoba, viuda y mártir en el 864.

Personaje célebre: Laura, duquesa de Abrantes.

LAURENCIO:

En francés: Laurent.

En inglés: Laurence, Lawrence.

En alemán: Laurentius.

Etimología: del latín *laurentius*, gentilicio de Laurentum, ciudad del Lacio así denominada, según Virgilio, por un famoso laurel (*laurus*). «Coronado de laurel», es decir, «victorioso».

LAVINIA:

Etimología: del latín, «piedra».

Obra: nombre mitológico creado por Virgilio en *La Eneida* para la hija del rey Latino, esposa de Eneas, para justificar el origen de la ciudad de Lavinium.

LÁZARO:

Etimología: del hebreo, ayuda de Dios.

Rasgos característicos: están seguros de sí mismos, son rectos, bien equilibrados y uno puede fiarse de ellos. Sienten una especie de reconocimiento hacia las personas que los aman y se sienten especialmente orgullosos de su entorno.

Santos: San Lázaro, hermano de Marta y María, resucitado por Jesús, primer obispo de Marsella y mártir. San Lázaro, religioso y pintor griego del siglo IX.

Personajes célebres: Lazare Hoche, general francés Lazare Carnot, político.

LEANDRO:

Etimología: del griego *liandros*, «león-hombre».

Personaje célebre: obispo de Sevilla.

LEOCADIA:

Etimología: del latín formado del griego.

Personaje célebre: virgen y mártir en Toledo en el siglo IV.

LEÓN:

En francés: Léon

En inglés: Leon

En alemán: Leo

En italiano: Leone

Rasgos característicos: son personas cerebrales que no se dejan llevar fácilmente, sometidas a arrebatos sin gravedad y de corta duración. Están dotados de grandes facultades asimiladoras; son valientes y no retroceden ante las dificultades o los peligros. Poseen temperamento para los negocios y les gusta el arte. Tienen sentido práctico, les agrada el orden y la economía. Sin embargo, carecen de prudencia y sufren arrebatos de la cólera. En el amor son poco dados a las caricias amorosas; en cambio, sus cualidades de espíritu hacen de ellos maridos dignos y nobles.

Santos: San León I el Grande, papa (del 400 al 461), que salvó a Roma dos veces de los ataques de los bárbaros. San León, obispo y mártir, apóstol de los vascos. San León II, papa. San León III, papa. San León IV, papa. San León IX, papa.

Personajes célebres: trece papas, seis emperadores de Oriente. León XIII, uno de los papas más importantes de los tiempos modernos. León Tolstoi, novelista ruso, Lèon Gambetta, abogado y político francés. Léon Bloy, escritor francés.

LEONARDO:

Etimología: del latín germánico, león atrevido.

Rasgos característicos: los mismos que para León.

Santos: San Leonardo de Noblac, ermitaño hacia el 559. San Leonardo, abad y ermitaño, compañero de Clodoveo, quien se convirtió con él en la batalla de Tolbiac. Patrón de los prisioneros y de los fruteros. San Leonardo de Puerto Mauricio, franciscano y misionero popular del siglo XVII.

Personaje célebre: Leonardo da Vinci, pintor de *La Gioconda.*

LEONCIO:

Etimología: nombre masculino, derivado de León, a veces también femenino.

Santo: San Leoncio, obispo de Fréjus.

LEÓNIDAS:

Etimología: del griego.
Personaje célebre: mártir en Egipto en el siglo III.

LEONOR:

En francés: Léonore.
En inglés: Leonore, Lenore.
En alemán: Lenore, Lenora.
Derivación de Eleonor.
Personajes célebres: varias reinas de Castilla en la Edad Media.

LEOPOLDO:

Etimología: de raíz latina germanizada, león temerario.
Rasgos característicos: poseen una inteligencia amplia y bien ordenada y triunfan con facilidad en la vida. Tienen una gran voluntad y son bastante sensibles. Su amistad y amor son sinceros y fieles.
Santo: San Leopoldo (1073-1136), margrave de Austria, al que se debe la fundación de Viena.
Personajes célebres: tres reyes de Bélgica, dos emperadores del Sacro Imperio germánico, numerosos príncipes de Austria y de Baviera.

LEOVIGILDO:

Etimología: del germánico *leuba-hild*, «guerrero amado».
Personaje célebre: rey godo, padre y ejecutor de San Hermenegildo y tenaz partidario de la herejía arriana.

LETICIA:

Etimología: del latín, gozosa.
Personaje célebre: la madre de Napoleón I.

LICIA:

Etimología: por analogía con Lidia, podría creérselo gentilicio de la comarca de Licia, en Asia. Pero quizá sea más probable relacionarlo con los sobrenombres de Diana y de Apolo, ambos originados *lyke*, «luz», o a partir de *lykos*, «lobo», símbolo de la violenta luz del sol.

LICINIO:

Gentilicio de Licia.
Personaje célebre: emperador romano del siglo IV.

LIDIA:

Etimología: del griego, habitante de Lidia.
Rasgos característicos: muy novelescas, muy buenas y serviciales, imaginativas y muy sentimentales; se las considera manirotas. Son leales, sinceras, grandes enamoradas y charlatanas.
Santa: Santa Lidia, comerciante de púrpura en Macedonia, convertida por San Pablo.

LILIA:

Etimología: del latín *lilium*, «lirio», símbolo de pureza. Influido posteriormente por los nombres ingleses *Liuly*, *Lilla*, hipocorísticos de Elizabeth.

LILIANE:

Diminutivo de Isabel (Elisabeth).

Rasgos característicos: suele destacar por su belleza. Apasionada, brillante, artista total. Defiende enconadamente las ideas que le gustan o las personas que quiere.

LINA:

Diminutivo de Adela (Adelina).

Rasgos característicos: a veces es lunática. Gran soñadora que luego no sabe qué hacer con la realidad. Excesivamente en las nubes.

LINDA:

Etimología: del germánico.

Diminutivo de Gerlinda.

Personaje célebre: abadesa de un monasterio en Alemania.

LINO:

En francés: Linus.

En inglés: Linus.

En alemán: Linus.

Etimología: del nombre griego *linos*, originado en la planta *linon*, «lino», del cual estaba hecho el hilo de la vida que cortaba la parca Atropos. O del latín *Linio*, «ungir».

Personaje célebre: primer papa después de San Pedro.

LOLA, LOLITA:

Diminutivos de Dolores.

LOPE:

Etimología: el lobo (*lupus*) desempeñó en la cultura clásica un importante papel: desde la fundación de Roma, donde aparecen Rómulo y Remo amamantados por una loba, a las *Lupercalia*, extrañas fiestas orgiásticas que marcaban el final del invierno. De aquí la importancia de su nombre.

Personajes célebres: la reina Lupa, que halló el sepulcro de Santiago. Lope de Vega, escritor.

LORENA:

Advocación mariana francesa, alusiva a la Virgen de la región de Lorraine, antigua Lotharingia, de Lotharius.

LORENZO:

En francés: Laurent.
En inglés: Lawrence.
En alemán: Lorenz.
Etimología: del latín, coronado de laureles.
Rasgos característicos: tienen un buen carácter flexible, son risueños, con mucha paciencia, lo cual hace que triunfen sus proyectos. Tienen una inteligencia despierta y están especialmente dotados para los trabajos en los que se pone a prueba a menudo la imaginación. Poseen un corazón de oro y son capaces y dignos de inspirar estima, amistad y amor. En el amor pueden amar a varios seres a la vez.
Santos: San Lorenzo, archidiácono del papa Sixto II. Patrón de los cocineros y de los bomberos. San Lorenzo Justiniano, noble veneciano del

siglo XV, que distribuyó su fortuna en limosnas y se convirtió en patriarca de Venecia.

Personajes célebres: Lorenzo de Médicis, uno de los representantes más ilustres que reinó en Florencia.

LORETO:

Advocación mariana italiana.

Según la tradición, los ángeles llevaron, en 1294, a un lugar de Ancona poblado de laureles (un *lauretum*) la casa de Belén donde nació Jesús.

Santa: Santa Loreto, virgen de esta localidad, patrona de la Aviación.

LOTARIO:

En francés: Lothaire.

En inglés: Lothair, Lowter.

En alemán: Lothar.

En italiano: Lotario.

Etimología: del germánico *leudi-hari*, «ejército glorioso».

Personajes célebres: varios reyes francos y un obispo santo del siglo VIII.

LOURDES:

Etimología: la forma original del topónimo es *Lorde*, palabra vasca que significa «altura prolongada en pendiente».

Advocación mariana francesa, alusiva a las apariciones de la Virgen a la vidente Bernardette Soubirous en la localidad homónima, en el año 1858.

LUCAS:

En francés: Luc.
En inglés: Lucas.
En alemán: Lukas.
Etimología: del latín, el luminoso.
Rasgos característicos: están llenos de finura, de gracia, de discreción y de inteligencia. Dotados de energía y de voluntad, de un espíritu asimilador, son muy hábiles para dirigir sus asuntos. Tienen mucho talento, están dotados para todo tipo de trabajos, pero carecen de paciencia y están sometidos a problemas físicos y morales. Con frecuencia buscan la soledad y a veces se dejan llevar por la melancolía. Poseen un espíritu asimilador y positivo; les gusta el coqueteo, aunque generalmente no dura demasiado, pues se casan bastante pronto. Sin embargo, si no encuentran una persona a la que amar profundamente, prefieren quedarse solteros.
Santos: San Lucas, evangelista, médico, discípulo y compañero de San Pablo, a quien se atribuye un retrato célebre de la Virgen María; martirizado en Acaya. Patrón de los pintores, de los médicos y de los escultores.
Personajes célebres: Lucas III, papa que puso los primeros cimientos de la Inquisición. Lucas de Achery, monje sabio. Luc Merson, pintor.

LUCÍA:

En francés: Lucie.
En inglés: Lucy.
En alemán: Lucia.

Femenino de Lucas.
Santa: Santa Lucía, virgen y mártir en Siracusa en el siglo XV. Patrona de los invidentes.
Obra: *Lucie de Lammermoor*, ópera de Donizetti (1835).

LUCIANO:

En francés: Lucien.
En inglés: Lucian.
En alemán: Lucian.
Derivado de Lucas.
Santos: San Luciano, obispo de Beauvais en el siglo III. San Luciano de Antioquía, cura nacido en Samosate y muerto como mártir en Antioquía. Personajes célebres: Luciano de Samosate, escritor griego. Luciano Bonaparte, desempeñó un papel de primer orden el día del golpe de estado de Brumario como presidente del consejo de los quinientos y fue príncipe de Caninio.
Obra: *Lucien Leuwen*, novela de Stendhal, inacabada, publicada en 1894.

LUCINA:

Etimología: del romano Lucina, «que da a luz».
Personaje célebre: diosa romana de los partos, asimilada a Juno y Diana.

LUCRECIA:

Etimología: del latín.
Personajes célebres: Lucrecia Borgia, familia italiana de origen español. Lucrecia, dama romana que se mató después de haber sido

ultrajada por un hijo de Tarquino el Soberbio, acontecimiento que sirvió de pretexto para derrocar la realeza en Roma. Lucrecio, poeta latino, nacido en Roma.

Obra: *Lucrèce*, tragedia de Ponsard (1843).

LUDMILA:

Etimología: del eslavo, «amada por el pueblo». Posibles concurrencias con la raíz germánica *hlod*, «gloria», y la latina germanizada *milus*, «dulce».

LUIS:

En francés: Louis.
En inglés: Louis, Lewis.
En alemán: Ludwig.
En italiano: Luigi.
Etimología: del alto alemán, guerrero ilustre. (Clodoveo es una forma antigua del nombre).

Rasgos característicos: son inteligentes, leales, muy flexibles y con frecuencia polivalentes. Son amables, corteses y muy agradables porque gozan de un espíritu vivo y de un garbo desenvuelto. Son muy brillantes en sociedad. Junto a sus cualidades, poseen algunos defectos como los celos y la susceptibilidad. En el amor, son afectuosos, sinceros, fieles, saben permanecer sencillos y simpáticos y se toman el amor como algo muy serio con lo que cuentan en la vida.

Santos: San Luis IX, rey de Francia, hijo de Luis VIII y de Blanca de Castilla (1215-1270); su reinado señala el apogeo de Francia en la Edad

Media, de la que es una de sus figuras más relevantes. Patrón de los peluqueros, de los botoneros, de los barberos, de los pasamaneros, de las costureras y de los lapidarios. San Luis (1274-1297), hijo de Carlos II, rey de Nápoles, obispo de Tolosa. San Luis Gonzaga (1568-1591), joven noble, paje del príncipe Santiago, patrón de la juventud cristiana. San Luis María Griñón de Monforte (1673-1716), gran apóstol de la devoción a la Santa Virgen.

Personajes célebres: diecinueve reyes de Francia, con Luis Felipe, han llevado este nombre, así como cuatro emperadores de Alemania, varios soberanos y príncipes de Baviera, de Turingia, de Hungría, de Holanda, de España, de Portugal, de Saboya, de Nápoles y de Sicilia. Luis Pasteur, ilustre químico y biólogo francés. Ludwig van Beethoven, célebre compositor alemán de música clásica. Luis II de Borbón (El gran Conde). Luis Nicolás, apodado Víctor, arquitecto francés. Louis Armstrong, trompetista americano.

LUISA:

Femenino de Luis.

Personajes célebres: Luisa de Saboya, madre de Francisco I. Luisa de Orleans, primera reina de Bélgica. Luisa de Lorena, esposa del rey de Francia Enrique III.

Obra: *Louise*, de Gustave Charpentier.

LLEIR:

Etimología: forma catalana de Licerio (griego Lykérios, derivado de *lyke*, «luz», o de *lykos*, «lobo»).

LLORENTE:

Variante de Florente, y éste de Florencio.

M

MACARENA:

Advocación de la Virgen María muy popular en Sevilla, alusiva a un barrio cuyo nombre procede de un antiguo edificio relacionado con San Macario.

MACARIO:

Etimología: del griego *machaera*, «espada», o sea, «el que lleva la espada». O de *makar*, «feliz», de donde *makarios*, «que ha alcanzado la felicidad, difunto».

MAFALDA:

Etimología: del germánico *maganfrid*, «pacificador fuerte».

Santa: beata portuguesa hija de Sancho I y esposa de Enrique I de Castilla, siglo XIII.

MAGALÍ:

Obra: personaje popularizado en el poema «Mireio»

MAGDALENA:

En francés: Madeleine, Magdeleine.
En inglés: Magdalen, Madelin.e
En alemán: Magadlane.
En italiano: Maddalena.
Etimología: del latín, formado del hebreo, de Magdala, ciudad en la frontera de Tiberíades en Palestina, donde vivía María Magdalena.
Rasgos característicos: son inteligentes, bonitas, atractivas, sensibles, simpáticas, desenvueltas y de naturaleza generosa. Caen simpáticas con facilidad, les gusta muchísimo la vida y son esposas encantadoras. También tienen algunos defectos, entre los que figuran la falta de reflexión y la frivolidad.
Santas: Santa Magdalena o María Magdalena, la pecadora. Santa María Magdalena de Pazzi, carmelita en el siglo XVI que ingresó en el Carmelo a los 17 años. Santa Magdalena Sofía Barat, religiosa del siglo XIX. Santa María Magdalena Postel (1758-1848), fundadora de una orden normanda para la instrucción de las jóvenes.
Personajes célebres: Magdalena de Francia, hija de Carlos VII. La marquesa de Parrabere, amante del regente. Madeleine de Scudéry, escritora.

MAGÍN:

Etimología: del latín *maginus*, quizá de *magnus*, «grande», o, mejor, variante de Maximus.

Personaje célebre: ermitaño del siglo IV en Tarragona.

MALVINA:

Etimología: del latín *Malvinus*, derivado de *malva*, «malva», germanizado con la raíz *wim*, «amigo». No tiene nada que ver con las islas Malvinas, que proceden del francés *Malouines*, por los pescadores de Saint-Malo que allí se establecieron.

MAMES:

Etimología: del griego *mamás*.

Santo: Mamés, santo del siglo III, huérfano, que llamaba *mamá* (palabra no corriente en griego) a su madre adoptiva.

MANRIQUE:

Etimología: del germánico *manrich*, «hombre rico, poderoso». Tomado en la práctica como variante de Amalarico, y éste de *Amal*, nombre de una tribu, y *rich*, «poderoso».

MANUEL:

En francés: Manuel.

En inglés: Manual.

En alemán: Manuel.

Derivado de Emmanuel.

Rasgos característicos: de naturaleza independiente, superiores, muy cariñosos, guardan todo su corazón para la que les está destinada. Son obstinados, no aceptan con facilidad los consejos y no tienen muchos amigos verdaderos.

Santo: San Manuel, mártir en Calcedonia en el siglo IV.
Personajes célebres: nombre llevado por varios príncipes españoles y portugueses. Manuel de Falla, compositor español.

MARCELINA:

Derivado de Marco y de Marcelo.
Santa: Santa Marcelina, virgen en Milán en el siglo IV.
Personaje célebre: Marcelina Desbordes-Valmore, poetisa.

MARCELINO:

Derivado de Marco y de Marcelo.
Santos: San Marcelino, papa, martirizado bajo el mandato del emperador Maximino en el 304. San Marcelino, mártir romano en el 302. San Marcelino, primer obispo de Embrun.

MARCELO:

Etimología: la misma que para Marco.
Santo: San Marcelo (350-405), obispo de París. Patrón de los comerciantes de granos.
Personajes célebres: Marcel Pagnol, dramaturgo francés. Marcel Aymé, escritor francés. Marcel Marceau, célebre mimo.

MARCIAL:

Etimología: del latín, belicoso, nacido bajo el planeta Marte.
Santo: San Marcial, apóstol de Aquitania, primer obispo y patrón de Limoges.

MARCIANA:

Personaje célebre: virgen y mártir en Mauritania en el siglo IV.

MARCO(S):

En francés: Marc.

En inglés: Mark.

En alemán: Markus..

Etimología: del latín, sobre una raíz aria y derivado de Marte: bravo, valiente, que muele, que martillea.

Rasgos característicos: dotados de buena inteligencia, voluntariosos, constantes, tienen el sentido de la precisión. De naturaleza asentada y reflexiva, son obstinados y un poco egoístas. Bastante alegres, se toman la vida por el lado bueno. Finos, astutos, fieles en la amistad y en el amor, son capaces de vínculos sinceros. Si se casan, el ser amado puede estar seguro de la felicidad.

Santo: San Marco, uno de los cuatro evangelistas, discípulo y compañero de San Pedro en Roma, fundador de la capital de Alejandría, mártir en Egipto hacia el 67. Patrón de Venecia, de los cristaleros y de los rebaños.

Personajes célebres: Marco Antonio, amigo y ayudante de César. Marco Aurelio, emperador romano. Mark Twain, el novelista americano más célebre. Jean-Marc Nattier, célebre pintor retratista francés.

MARGARITA:

En francés: Marguerite.

En inglés: Margaret.

En alemán: Margareta.

En italiano: Margarita.

Etimología: del griego, perla.

Rasgos característicos: poseen una gran inteligencia intuitiva, mucha bondad y un espíritu conciliador. Les gusta lo bello y todo lo que huele a bondad. Son muy sinceras, gozan de una firme voluntad, rígida y recta. Son enamoradas natas y encuentran la felicidad en el amor. Tienen una fuerte inclinación por la religión y muchas de ellas no están destinadas al matrimonio. También poseen sus pequeños y grandes defectos.

Santas: Santa Margarita, virgen y mártir en Antioquía (255-275). Patrona de los lavanderos y lavanderas y de las hilanderas. Santa Margarita de Escocia (1046-1093), hija de Eduardo de Ultramar. Santa Margarita de Cortone (1249-1297). Santa Margarita de Hungría (1242-1271), hija del rey de Hungría Bela IV. Santa Margarita María de Alacoque (1648-1690).

Personajes célebres: varias reinas de Inglaterra, de Navarra, de Dinamarca y de España. Margarita de Valois, esposa de Enrique IV. Marguerite Duras, novelista francesa contemporanea. Margarita de Provenza, esposa de Luis IX. Margarita de Borgoña, esposa de Luis X. Margarita de Austria, hija del emperador Maximiliano. Margarita Tudor, madre de Jacobo V Estuardo

Obras: Margarita, personaje del *Fausto* de Goethe. Marguerite Gautier, la *«Dama de las Camelias»*.

MARÍA:

En francés: Marie.
En inglés: Mary.
En alemán: Maria.
Etimología: del hebreo, iluminadora, espejo, soberana; o del sirio, princesa de las aguas.
Rasgos característicos: son de naturaleza activa, dulce, apacible y no hacen ningún esfuerzo por brillar. Son dadas al ensueño, tienen un temperamento fácil de contentar. Son poco exigentes, gustan sobre todo a las personas modestas y se vuelven muy buenas compañeras en el matrimonio.
Santas: Santa María o la Santísima Virgen, hija de San Joaquín y de Santa Ana, madre de Jesucristo. Patrona de Francia. Santa María de Cleofás, hermana de la Santísima Virgen, madre de Santiago el Menor. Santa María Egipciaca (345-421), penitente. Patrona de los pañeros. Santa María la Penitente.
Personajes célebres: numerosas princesas y soberanas han llevado el nombre de María en Alemania, Inglaterra, Escocia, España, Francia, Países Bajos, Italia, Rusia, etc., María de Médicis, esposa de Enrique IV, María Antonieta, hija de Francisco I. María Luisa, segunda esposa de Napoleón. María Estuardo, reina de Escocia. María Tudor, hija de Enrique VIII. María Cristina, regente de España,

madre de Alfonso XIII. María Callas, estrella de la ópera.

Obras: «*Marie*», poema de Brizeux, *Marie-Claire*, de Marguerite Andoux.

MARIANA:

Etimología: nombre compuesto de María y de Ana. Derivado de María.

Santa: Santa Mariana, virgen de Oriente en el siglo I.

Personaje célebre: Marilyn Monroe, estrella del cine americano.

Obras: *Marianne*, de Marivaux. *Marianne*, de Jules Sandeau.

MARÍN:

Etimología: del latín, *mar*, *maris*, que procede del mar, marino.

Santo: San Marín el Anacoreta (310-395), que trazó el plano del puente de Rímini.

Personajes célebres: dos papas. El Caballero Marín, poeta italiano.

MARINA:

Femenino de Marín.

Santa: Santa Marina, penitente, virgen y mártir del siglo VIII.

Personajes célebres: la princesa Marina, viuda del duque de Kent. Marina Vlady, actriz italiana.

MARIO:

Derivado de María.

Rasgos característicos: son apacibles, les gusta trabajar con firmeza y exageran un tanto la magnitud de sus hazañas. Están dispuestos a hacer favores, son sinceros y les gusta el humor. Sus bromas y su risa ocultan a menudo una emotividad que temen descubrir. En el amor encuentran la felicidad.

Santo: San Mario, martirizado en Roma junto a su mujer y a sus hijos en el siglo III.

Obra: *Marius*, de Marcel Pagnol.

MARISA:

Diminutivo de María.

MARTA:

En francés: Marthe.
En inglés: Martha.
En alemán: Martha.
En italiano: Marta.
Etimología: del sirio, ama de casa.
Rasgos característicos: poseen un espíritu despierto, curioso, una inteligencia abierta y clara, se interesan por todo. Son muy luchadoras, muy emprendedoras y agradables de tratar. Con frecuencia son desenvueltas, generalmente frágiles, pero capaces de utilizar una energía casi insospechada. No tienen maldad y odian la vulgaridad. No gustan de los consejos de los demás y a veces se encierran en la soledad. Tienen tendencia a irritarse con facilidad. Gustan mucho al sexo opuesto.

Santa: Santa Marta, hermana de María de Betania y de Lázaro. Patrona de los cocineros, de los hoteleros, de los sirvientes y de las lavanderas.

MARTÍN:

En francés: Martin.
En inglés: Martin.
En alemán: Martin.
Etimología: derivado del latín Mars, dios de la guerra.
Rasgos característicos: desenvueltos y capaces de poner en su sitio a los inoportunos. Afables, muy acomodaticios, son personas de trato agradable.
Santo: San Martín, soldado romano, obispo de Tours en el siglo IV, uno de los santos más venerados en Francia. Patrón de los molineros, de los vinateros, de los peatones y de los soldados.
Personajes célebres: cinco papas han llevado el nombre de Martín. Martín Lutero, reformador de la iglesia germánica. Roger Martin du Gard, escritor francés contemporáneo. Martin Luther King, célebre dirigente norteamericano.

MARTINA:

Femenino de Martín.
Santa: Santa Martina, virgen romana, martirizada a principios del siglo III.
Personaje célebre: Martina, emperatriz de Oriente.

MATEO:

En francés: Mathieu o Matthieu.
En inglés: Matthew.
En alemán: Matthaeus.
Etimología: la misma que para Matías.
Rasgos característicos: son muy ahorradores y ponen todas sus facultades intelectuales al servicio de su deseo de triunfo. Son rectos y justos y saben amar con fidelidad.

Santo: San Mateo, apóstol y evangelista, mártir en Persia en el siglo I. Patrón de los banqueros, de los financieros, de los recaudadores y de los aduaneros.

Personaje célebre: Luis Mateo Molé, hombre de estado francés.

MATÍAS:

Etimología: del hebreo, don del Señor.

Rasgos característicos: son justos, generosos, amables y de trato agradable. En ellos domina el amor; además, son fieles y muy exigentes al respecto.

Santo: San Matías, elegido por los Apóstoles, después de la Ascensión, para sustituir a Judas, evangelizador de Etiopía, martirizado cerca de Jerusalén, hacia el 61.

Personaje célebre: Matías, rey de Hungría y emperador del Santo Imperio germánico (1557-1619).

MATILDE:

En francés: Mathilde.

En inglés: Matilda.

En alemán: Mathilde.

Etimología: del alto alemán, poderosa en el combate.

Rasgos característicos: de inteligencia bastante lenta, deben trabajar mucho para poder triunfar en la vida. Con frecuencia carecen de confianza en sí mismas, lo cual les impide llevar a cabo cosas que estarían en condiciones de hacer bien. En el amor no se dejan llevar por los sentimientos con facilidad.

Santas: Santa Matilde (890-968), reina de Germania. Santa Matilde (1080-1118), reina de Inglaterra.
Personajes célebres: varias princesas y soberanas de Inglaterra y del Imperio Germánico. La reina Matilde, esposa de Guillermo el Conquistador.

MAURICIO:

En francés: Maurice.
En inglés: Maurice.
En alemán: Moritz.
Etimología: la misma que para Mauro.
Rasgos característicos: son trabajadores y estudiosos, no les gusta perder el tiempo en los placeres. Tienen sentido común, son inteligentes, poco sentimentales y tienen una alta opinión de sí mismos. Están llenos de afán y están hechos para llevar a buen puerto las grandes tareas de la vida. Tienen buen juicio y no les gusta cambiar de trabajo. En el amor, saben distinguir lo verdadero de lo falso en el campo de los sentimientos, y cuando se casan, el hogar les proporciona la verdadera alegría.
Santos: San Mauricio, jefe de la legión tebana, martirizado en Agaune. Patrón de los militares, de los tintoreros y de los lavanderos. San Mauricio Duault (1115-1191), abad del monasterio de Langouet.
Personajes célebres: Mauricio de Sajonia, aliado de Carlos V contra los protestantes. Maurice Chevalier, el más célebre de los cantantes franceses. Maurice Utrillo, pintor francés contemporáneo. Maurice Maeterlinck, escritor y entomólogo belga.

MAURO:

Etimología: del griego, oscuro, sombrío.

Santo: San Mauro (512-584), abad, primer discípulo de San Benito. Patrón de los caldereros.

MAXIMILIANO:

Derivado de Máximo.

Santos: San Maximiliano, soldado y mártir. San Maximiliano, obispo de Passau. San Maximiliano, centurión romano.

Personajes célebres: dos emperadores del Sacro Imperio. Varios duques, electores o reyes de Baviera. Maximiliano de Robespierre, revolucionario francés.

MAXIMINO:

Derivado de Máximo.

Santos: San Maximino, fundador y primer obispo de la Iglesia de Aix en el siglo I. San Maximino, obispo de Tréveris y de Poitiers en el siglo IV.

Personaje célebre: Maximino I, emperador romano.

MÁXIMO:

Etimología: del latín, el más grande.

Rasgos característicos: son tranquilos, comedidos, muy sociables y detestan la extravagancia. Aman a su prójimo y tienen el sentido justo de la palabra dada. Nunca abandonan a un amigo al que han prometido ayudar. Dan pruebas de mucha distinción tanto en ideas como en la práctica. Tienen una considerable dignidad en la vida, y en el amor, casi siempre aseguran la felicidad de su cónyuge.

Santos: San Máximo el Confesor (580-662), primer secretario imperial y después monje. San Máximo de Lerins, después obispo de Riez. San Máximo, verdugo de Santa Catalina, converso y mártir.

Personajes célebres: varios emperadores romanos. Máximo Gorki, escritor ruso.

MAYA:

Nombre mitológico.

Etimología: del griego *maia*, «madre».

Personajes célebres: Maya, hija de Atlas y madre de Hermes. Nombre de una de las Pléyades.

Forma vasca de María.

MELANIO:

Etimología: del griego *melánios*, «negro, oscuro» o «con manchas negras».

Personaje célebre: sobrenombre de Deméter por el luto que llevaba por su hija Proserpina, raptada a los Infiernos por Plutón.

MELCHOR:

Etimología: del hebreo, rey.

Personaje célebre: uno de los tres Reyes Magos.

MELITÓN:

Etimología: del latín *mellitus*, «dulce como la miel».

MENDO:

Contracción gallegoportuguesa de Menendo o Melendo, ambas a su vez formas ya contractas de Hermenegildo.

MERCEDES:

Nombre consagrado a Nuestra Señora de la Merced.

MIGUEL:

En francés: Michel.
En inglés: Michael.
En alemán: Michael.
Etimología: del hebreo, semejante a Dios.
Rasgos característicos: les gusta el estudio, el trabajo, el lujo y lo bello. Son de carácter caprichoso, cambiante y por encima de todo prefieren la independencia. Son activos, desenvueltos y tienen un espíritu grave y concentrado que sabe encontrar el verdadero sentido de la vida. Son seductores, y gustan mucho al sexo opuesto. Siempre tendrán éxito en las ciencias abstractas y en la vida artística.
Santo: San Miguel Arcángel, jefe de la hueste celestial, citado cinco veces por sus intervenciones en la Biblia. Patrón de Francia, de los armeros, de los maestros de armas, de los esgrimidores, de los panaderos, de los pasteleros, de los estufe-ros, de los banqueros, de los radiólogos y de los paracaidistas. Se le invoca para estar pro-tegido del rayo y de los bombardeos aéreos.
Personajes célebres: ocho emperadores bizantinos, varios zares de Rusia, de Bulgaria, de Serbia, numerosos príncipes eslavos. Miguel Ángel, el artista más completo del Renacimiento. Michael Faraday, sabio inglés. Michel Ney, mariscal francés. Michel Simon, gran comediógrafo francés.
Obra: *Miguel Strogoff*, de Julio Verne.

MILAGROS:

Advocación mariana, Nuestra Señora de los Milagros.
Etimología: del latín *miraculum,* «maravilla, prodigio».
Nombre popular especialmente en las islas Canarias.

MINERVA:

Etimología: del latín.
Personaje célebre: Minerva, diosa latina de la sabiduría y de los artesanos.

MIRELLA:

Nombre muy popular en la Provenza.
Etimología: de *mirada*, «milagro».
Santa: Santa Mirella, siglo V.
Obra: *Miréio*, poema de F. Mistral, 1859.

MODESTO, MODESTA:

Etimología: del latín, *modestus*, reservado, comedido.
Santos: San Modesto, preceptor de San Vito, martirizado en el 304. Virgen de Tréveris en el siglo VIII.
Obra: *Modeste Mignon*, de Balzac.

MOISÉS:

Etimología: del hebreo, salvado de las aguas, o egipcio, regalo de Isis.
Personaje célebre: Moisés, libertador y legislador del pueblo israelita.

MÓNICA:

En francés: Monique.
En inglés: Monica.
En alemán: Monika.

Etimología: del latín, formado del griego, sola, que vive en soledad.

Rasgos característicos: son mujeres de gran valor, indulgentes, comprensivas y de naturaleza independiente. No buscan los goces mundanos, sino que prefieren las alegrías de un orden más elevado. Son pacientes, un poco masculinas y nunca llegan a conseguir la felicidad perfecta. En el amor casi siempre conservan el mismo temperamento que en la vida de los negocios. Siempre triunfan en organizar su vida de una manera agradable.

Santa: Santa Mónica (322-387), nacida en Tagaste, muerta en Ostia, madre de San Agustín.

Obra: *Monique*, de Paul Bourget.

MONTSERRAT:

Advocación mariana a la Virgen del *Montserrat*, «monte aserrado», patrona de Cataluña.

MÍRIAM, MIRYAM:

Etimología: forma hebrea de María, tal cual lo llevó la Santísima Virgen.

Rasgos característicos: los mismos que para María.

N

NADIA:

Etimología: procede del eslavo (*nadiejda*), que quiere decir esperanza.

Santos: Santa Nadia fue martirizada en Roma bajo el emperador Adriano.

Rasgos característicos: con frecuencia burlona. Cambia a menudo de humor sin que se sepa la razón. Caprichosa.

NAPOLEÓN:

Etimología: del griego, *neo-polis*, ciudad nueva.

Personaje célebre: Napoleón Bonaparte.

NARCISO:

Etimología: del griego, entumecimiento, flexibilidad, como la flor del mismo nombre.

Rasgos característicos: son hábiles, tenaces y bastante inteligentes. No están demasiado apegados al dinero y son bastante generosos.

Santo: San Narciso (106-222), obispo de Jerusalén.
Personajes célebres: Narciso, personaje legendario, célebre por su belleza. Narciso, liberto del emperador Claudio.

NATACHA:

Etimología: del eslavo. Derivado de Natalia.

NATALIA:

Etimología: del latín, que se refiere al nacimiento.
Rasgos característicos: son encantadoras, les gusta la aventura y no tienen miedo a los riesgos de la vida.
Santas: Santa Natalia, esposa de San Aurelio, martirizada junto a él en Córdoba en el 852. Santa Natalia, esposa de San Andrés, mártir.

NATIVIDAD:

Etimología: del latín *nativitas*, alusivo a la Natividad de la Virgen María.

NAZARIO:

Personaje célebre: mártir en Milán en el siglo I.

NEMESIO:

Etimología: del latín Nemesius, «justiciero».
Personaje célebre: Némesis, diosa griega de la justicia y la venganza.

NERINA:

Nombre dado por Virgilio a una nereida, por analogía con el de su padre Nereo. «Nadar».

NÉSTOR:

Etimología: origen griego incierto: en la mitología griega, Néstor aparecía como el más viejo y el más sabio de los jefes griegos.

Rasgos característicos: están dotados de sentido común, de una gran inteligencia y de amor hacia su prójimo.

Santo: San Néstor, obispo de Perge, mártir en el siglo III.

NICANOR:

Etimología: del griego *nike-amer*, «hombre victorioso».

Nombre popular en los primeros siglos del cristianismo.

NICASIO:

Etimología: del griego, vencedor.

Santo: San Nicasio, fundador y primer obispo de la diócesis de Rouen, mártir.

NICOLÁS:

En francés: Nicolas.

En inglés: Nicholas.

En alemán: Nikolaus.

Etimología: del griego, vencedor de los pueblos.

Rasgos característicos: son sensibles, de naturaleza un poco apática; se pican con facilidad, pero no sienten odio. Es fácil vivir con ellos, pues son importantes y tienen grandes cualiddes. Son dados con frecuencia a la melancolía y a la ensoñación. En el amor son muy sensibles y parece que temen el abandono de su amada.

Santo: San Nicolás, obispo de Miro, en Licia, en el siglo IV. Patrón de la juventud, de los boticarios, de los carniceros, de los tenderos, de los traperos, de los barqueros, de los vinateros, de los toneleros, de los marineros, de los vendedores de grano, de los notarios y de los abogados. Patrón de Rusia.

Personajes célebres: cinco papas, varios príncipes de familias reales, sobre todo en Rusia. Nicola Pisano, orfebre que esculpió los tableros del baptisterio de Pisa. Nicolás Bolteau, autor satírico del siglo XVII. Nicolás Copérnico, astrónomo polaco. Nicolás Boileau, escritor francés. Nikolai V. Gogol, escritor ruso.

Obra: *Nicolas Nickleby*, de Charles Dickens.

NICOMEDES:

Etimología: del griego, que se ocupa de la victoria.

Santo: San Nicomedes, mártir en Roma en el siglo I.

Personajes célebres: nombre llevado por tres reyes de Bitinia.

Obra: *Nicomède*, tragedia de P. Corneille (1651).

NIDIA:

Etimología: probablemente del latín *nitidus*, «radiante, luminoso».

Obra: personaje creado por el novelista Bulwer Lytton para su obra *Los últimos días de Pompeya.*

NIEVES:

Advocación Mariana a la Virgen de las Nieves, en Roma, más conocida generalmente por Santa María la Mayor.

Rasgos característicos: pureza.
Color: blanco.

NOÉ:

Etimología: del hebreo (*Noah)* que significa descanso.

Personaje célebre: Noé, descendiente de Seth. Los hombres habían llegado a ser tan malos que Dios decidió eliminarlos mediante un diluvio. Sólo Noé había permanecido justo. Dios le permitió construir una nave en la que embarcó a los suyos y una pareja de cada especie animal. Cuando las aguas descendieron, Noé abordó el monte Ararat. Muchos años después plantó una viña y se emborrachó. Borrachera permisible, tras tantos sufrimientos. Es el patrón de los armadores y de los vinateros.

Rasgos característicos: posee una inteligencia muy viva y clara, capaz de síntesis extraordinarias. A veces se muestra autoritario. Está hecho para el éxito.

NOEMÍ:

Etimología: del griego, que piensa bien, sabia; o del hebreo, la belleza.

NORBERTO:

Etimología: del alto alemán, destello del norte, estrella del norte.

Rasgos característicos: son serios y muy aplicados en su trabajo. Son lógicos, metódicos y constantes. Son buenos trabajadores y no temen las dificultades. En el amor, son muy fieles y son padres de familia abnegados.

Santo: San Norberto (1080-1134), nombrado arzobispo en contra de su voluntad. Fundador de la orden de los Premonstratenses.

NORMA:

Etimología: del celta, Norma, heroína gala, hija de un druida, puesta en escena en la ópera italiana de Bellini en 1831.

Personaje célebre: Norma Shearer, bailarina americana.

Obra: *Norma*, ópera de Bellini (1831).

NUÑO:

Etimología: derivación medieval del nombre latino *nonnius*, «monje», o *nonius*, «veneno», aplicado al hijo nacido en noveno lugar. Puede poseer cierta influencia del nombre vasco *muño*, «cerro».

NURIA:

Advocación mariana aplicada a la Virgen de este santuario catalán.

Etimología: del vasco *n-uri-a*, «lugar entre colinas», o del árabe *nuriya*, «luminosa».

OBDULIA:

Etimología: adaptación al latín del nombre árabe Abdullah, «servidor de Dios». A veces es utilizado impropiamente como sinónimo de Odilia.

OBERÓN:

Derivado de Alberico.

Personaje célebre: rey de las hadas y los genios del aire.

Obra: personaje de *El sueño de una noche de verano*, de Shakespeare.

OCTAVIA:

Etimología: la misma que para Octavio.

Personajes célebres: Octavia, mujer de Nerón. Octavia, hermana del emperador Augusto.

OCTAVIO:

Etimología: del latín, formado del romano, el octavo.
Rasgos característicos: son inteligentes, de una voluntad sólida, pero bastante influenciables. Les gusta la vida mundana y las salidas; sin embargo, son sensibles a los requerimientos del amor.
Santo: San Octavio, mártir en Turín en el siglo III.
Personaje célebre: Octave Feuillet, académico francés.

OFELIA:

Etimología: del griego *Ophéleía*, «utilidad, ayuda».
Obras: personajes de *La Arcadia*, de Jacobo Sannazaro, y de *Hamlet*, Shakespeare.

OLAF:

Nombre muy popular entre los vikingos.
Etimología: del noruego *ano-leifr*, «legado de los antepasados».
Personaje célebre: San Olaf II, rey noruego convertido al cristianismo, introductor de éste en su país.

OLEGARIO:

Etimología: del germánico *Helig*, «saludable», y *gair*, «lanza». También de *Ald-gard*, «pueblo ilustre».
Santo: San Olegario, primer obispo de Tarragona en los siglos XI-XII.

OLGA:

Etimología: del eslavo, derivado del nombre escandinavo Helga. Nombre ruso.

Santa: Santa Olga, princesa rusa del siglo X, esposa del principe Igor de Kiev.

OLIMPIA:

Etimología: del griego *Olympios*, «de Olimpia», lugar donde se celebraron los juegos llamados, por este motivo, olímpicos. O de la raíz *lamp*, «brillar». También puede proceder del Olimpo, monte de Tesalia donde se suponía residían los dioses.

OLIVER:

En francés: Olivier.
En inglés: Olivier.
En alemán: Oliver
En italiano: Oliviero.
Etimología: del latín, el árbol, el olivo.
Rasgos característicos: los mismos que para Olivia.
Santo: San Oliver, religioso de Santa Cruz, en Ancona, siglo XIII.
Personajes célebres: Oliver de Malmesbury, benedictino que inventó una máquina de volar. Oliver Cromwell, protector de la república de Inglaterra, de Escocia y de Irlanda.
Obras: *Oliver Twist*, de Charles Dickens. Oliver, héroe de la *Chanson de Roland.*

OLIVIA:

Etimología: del latín, fruto del olivo.
Rasgos característicos: son muy despiertas, bien equilibradas, de naturaleza apacible y afectuosa. Astutas, flexibles y hábiles. Los hombres son dulces, de aspecto atractivo y poseen

buenos modales. Corrigiéndose de su tendencia al coqueteo, pueden convertirse en grandes enamorados de una sola persona. Las mujeres son poco fieles, les gusta coquetear, son sensibles por lo que respecta a la conducta del ser amado.

Santa: Santa Olivia, virgen, honrada en Chaumont.

Personaje célebre: Olivia de Havilland, estrella del cine americano.

ONÉSIMO:

Etimología: del griego, bienhechor.

Santo: San Onésímo, obispo de Éfeso, esclavo de Coloso, convertido por San Pablo, mártir en Roma hacia el 109.

Personaje célebre: Onésimo Reclus, geógrafo, hermano de Eliseo.

ONFALIA:

Etimología: del griego *onphále*, y éste de *onphalós*, «ombligo». «Mujer con un bello ombligo.»

ONOFRE:

Etimología: del egipcio *unnofre*, «el que abre lo bueno». Puede tener influencias germánicas, *unnfrid*, «el que da la paz».

ÓSCAR:

Etimología: del escandinavo, lanza de Dios.

Personajes célebres: varios reyes de Suecia. Oscar Wilde, escritor inglés. Oscar Vladislas Milosz, escritor francés de origen lituano. El «Oscar» es una célebre estatuilla dada como recompensa en Hollywood a los mejores actores del año.

OSEAS:

Etimología: del hebreo, salvador.
Personaje célebre: profeta de Judea.

OSVALDO:

En francés: Oswald.
En inglés: Oswald.
En alemán: Oswald.
En italiano: Osvaldo.
Etimología: del germánico *ost-wald*, «pueblo brillante».
También se utiliza Oswaldo.

OTELO:

En inglés: Othello.
En italiano: Otello.
Obra: *Otelo*, de Shakespeare.

OTÓN:

Nombre alemán.
Etimología: del latín formado del germánico, rico.
Santo: San Otón (1050-1139), obispo de Bambourg.
Personajes célebres: varios príncipes alemanes han llevado este nombre.

OVIDIO:

Etimología: del latín, formado sobre el romano.

PABLO:

En francés: Paul.
En inglés: Paul.
En alemán: Paul.
En italiano: Paolo.
Etimología: del latín formado del griego, el que descansa.
Rasgos característicos: coléricos e independientes, saben a dónde van y, cuando han decidido algo, ninguna consideración les hace retroceder. Son inteligentes y están dotados de un gran sentido práctico, les gusta la exactitud y la precisión. Tienen un carácter que nunca es trivial. No les gustan las mentiras y son muy francos. Aman sana y sólidamente y son sensuales.
Santos: San Pablo, llamado el Apóstol de los Gentiles, mártir en Roma en el siglo I. San Pablo,

primer ermitaño. Patrón de los cesteros. San Pablo de Tesalónica, patriarca de Constatinopla, mártir en el 350. San Pablo I (700-767), papa. San Pablo de la Cruz (1694-1775), fundador de la orden de los Pasionistas.

Personajes célebres: Pablo Picasso, el pintor contemporáneo más conocido. Varios papas. Pablo I, zar, asesinado por oficiales de la corte. Pablo Geraldy, poeta francés. Paul Hindemith, compositor contemporáneo. Paul Cézanne, pintor impresionista francés.

Obra: *Paul et Virginie*, de Bernardin de Saint-Pierre.

PALMIRA:

Etimología: derivación de Palma, alusivo al domingo de Ramos en recuerdo de las palmas que los jerosolimitanos agitaban para dar la bienvenida a Jesús. No tiene nada que ver con Palmira, ciudad fortificada por Salomón en el desierto árabo-sirio.

PALOMA:

Etimología: del latín, paloma.

Santa: Santa Paloma, virgen del siglo III, martirizada en Sens.

Obra: *Colomba*, heroína corsa de Merimée.

PAMELA:

Etimología: nombre puesto de moda en los siglos XVIII y XIX por la novela inglesa de Richardson (1740).

PANCRACIO:

Etimología: del griego, que lo supera todo.

Santo: San Pancracio, sobrino de San Dionisio, mártir.

PANDORA:

Nombre mitológico.

Personaje célebre: Pandora, mujer que imprudentemente abrió la caja que contenía «todos los males» de los dioses; todos escaparon, excepto la Esperanza.

PAOLA:

Derivado de Paula.

PAQUITA:

Hipocorístico de Francisca.

Rasgos característicos: son personas de gran emotividad que pierden frecuentemente su sangre fría. Se consideran mujeres muy inteligentes y se fían de su inteligencia, que no siempre es tan grande como se imaginan. Son personas que necesitan el triunfo para seguir viviendo. Aunque están dotadas de una buena vitalidad, sin embargo se fatigan rápidamente.

PASCUAL:

Etimología: del latín. Relativo a la fiesta de Pascua.

Santos: San Pascual nació en Torre Hermosa, Aragón, en 1540. De profesión pastor, vivió totalmente entregado a Dios, humilde y piadoso. Se hizo franciscano y se consagró a las necesidades del monasterio. Muy bondadoso con los demás y extremadamente duro consigo mismo. Murió en 1592. Otros, San Pascual I, papa.

Rasgos característicos: le gusta la belleza y los placeres. Su defecto es la envidia. Guarda los secretos.

PATRICIO:

En francés: Patrice.
En inglés: Patrick.
En alemán: Patricius.
Etimología: del latín, patricio, de noble cuna.
Rasgos característicos: tienen una inteligencia despierta y sutil, pertenecen a la élite intelectual y social. Son amables, reservados, de naturaleza un tanto burlona y apenas buscan la compañía. Se casan bastante tarde y forman matrimonios felices.
Santos: San Patricio (377-460), nacido en Escocia, según algunos, en Pont-Aven, Bretaña, sobrino nieto de San Martín de Tours. Patrón de Irlanda y de Nigeria.

PATRICIA:

Femenino de Patricio.
Personaje célebre: mártir en Nicomedia.

PATROCINIO:

Etimología: del latín *patrocinium*, «patrocinio, amparo», o de *patronas*, «padre, protector, patrón». Nombre que deriva de las fiestas religiosas del Patrocinio de Nuestra Señora y del de San José.

PAULA:

Femenino de Pablo.

Santa: Santa Paula (347-404), dama romana viuda, fundó tres monasterios en Belén.

PAULINA:

Etimología: la misma que para Paulino y Pablo.

Santas: Santa Paulina, martirizada en Roma en el siglo III. Santa Paulina, mártir, hija de un carcelero.

Personaje célebre: Paulina Bonaparte.

PAULINO:

Etimología: la misma que para Pablo.

Santo: San Paulino de Nole (353-431), originario de Burdeos, obispo de Nole.

PAZ:

Etimología: del latín *pax*, «paz».

Santa: Nuestra Señora de la Paz.

PEDRO:

En francés: Pierre.

En inglés: Peter.

En alemán: Peter y Petrus.

En italiano: Pietro.

Etimología: traducción latina de la palabra armenia *képha*, roca.

Rasgos característicos: son ordenados, realistas, valientes, organizadores y realizadores de primer orden. Tienen un espíritu metódico, concienzudo, a veces un poco puntilloso y susceptible, tienen gustos y temperamento de artista. Trabajadores pertinaces, de una inteligencia sólida, lógica, asimilan las ideas a fondo. Son de naturaleza reservada, no exteriorizan fácilmente sus sentimientos. Son leales y sacrificados en la amistad. En el amor, no les gusta ser engañados y se sienten atraídos por las personas que son superiores a ellos.

Santos: San Pedro, jefe de los doce Apóstoles y primer jefe de la Iglesia. Patrón de los talladores de piedra, de los albañiles, de los yesistas y de los pescadores. San Pedro de Alejandría, obispo y mártir en el 31. San Pedro Crisólogo, obispo de Rávena y doctor en el siglo IV. San Pedro Damián, cardenal obispo de Ostia. San Pedro Nolasco, fundador de la orden de la Merced. San Pedro Celestino (1229-1296), papa, fundador de la orden de los Celestinos. San Pedro Fourrier (1565-1640), apóstol de Alsacia-Lorena, de los Vosgos y de Borgoña. San Pedro de Alcántara (1499-1562), franciscano.

Personajes célebres: tres emperadores de Rusia, cinco reyes de Portugal, varios reyes de Aragón y de Castilla. Pedro I el Grande, zar de Rusia. Pierre Corneille, poeta dramático francés. Pedro el Ermitaño, jefe de la primera cruzada. Pierre Loti, escritor francés. Pierre de Ronsard, poeta francés del Renacimiento. Pierre Curie, sabio francés.

Obras: *Petit Pierre*, de Anatole France. *Pierre et Jean*, de Guy de Maupassant.

PELAGIO:

En francés: Pelage.
En inglés: Pelagius.
En alemán: Pelagius.
En italiano: Pelagio.
Etimología: del latín *pelagius*, y éste del griego *pelágios*, «marino, hombre de mar».

PELAYO:

Nombre muy usado en la Edad Media.
Personaje célebre: Pelagio (Pelayo), vencedor de la primera batalla contra los árabes en Covadonga en el 718, iniciador de la Reconquista asturiana.

PENÉLOPE:

Etimología: del griego.
Rasgos característicos: de una inteligencia fina, que se adapta fácilmente, son muy influenciables. Al ser muy imaginativas, rechazan la realidad. Tienen un carácter muy flexible, muy abnegado; les gusta ver a su alrededor amigos y caras sonrientes. Poseen una intuición notable y su sociabilidad es fantástica.

PEREGRINO:

Etimología: del latín *per ager*, «que va por el campo». Evoca las peregrinaciones medievales.

PERPETUA:

Etimología: del latín, *perpetua*, que dura siempre. Este nombre a veces se ha llevado en masculino.

Santos: Santa Perpetua, mujer de un patricio romano, martirizada en Cartago en el año 202. San Perpetuo, obispo de Tours en el siglo V.

PETRONILA:

Etimología: del latín, roca pequeña.
Santa: Santa Petronila, virgen de noble familia romana, martirizada en el siglo I.

PETRONIO:

Personaje célebre: obispo de Verona.

PIEDAD:

Etimología: del latín *pietas*, «sentido del deber», «devoción hacia los dioses».
Nombre alusivo a los atributos de la virgen.

PILAR:

Etimología: del latín *pila*.
Nombre muy extendido en Aragón, alusivo a la Virgen María, que, según la tradición, se apareció al apóstol Santiago en las márgenes del río Ebro sobre un pilar.

PÍO:

Etimología: del latín, piadoso.
Santos: San Pío I, papa, martirizado en Roma en el siglo II. San Pío V, papa (1504-1572).
Personajes célebres: doce papas.

PLÁCIDO:

Etimología: del latín, *placides*, tranquilo, de carácter suave.

Rasgos característicos: son caprichosos, trapaceros, ardorosos y tienen un carácter muy difícil.
Santo: San Plácido, monje benedictino masacrado con sus religiosos por los bárbaros en el siglo VI, en Messina, Sicilia.

PLINIO:

Etimología: del latín *plenus*, «lleno, grueso», aunque probablemente del griego *plinthos*, «baldosa, losa».
Personajes célebres: dos escritores latinos.

POLICARPO:

Etimología: del griego, abundante en frutos.
Santo: San Policarpo, obispo de Esmirna y mártir.

POLIXENA:

Nombre mitológico.
Etimología: del griego *polixenos* «hospitalario».
Personaje célebre: hija de Príamo y esposa de Aquiles.

POMPEYO:

Etimología: del latín *pompeius*, «pomposo, fastuoso». En femenino, advocación mariana.
Personaje célebre: rival de Julio César, vencido por éste en Farsalia.

PONCIO:

Etimología: del latín *pontus*, «mar», o más probablemente del numeral osco *pontis*, análogo al latín *quinque*, «cinco». «Quinto.»

PORFIRIO:

Etimología: del griego *porphyrion*, «con color de pórfido», o sea, «de púrpura, purpurado». Se utiliza generalmente para referirse a la cara de los recién nacidos tras un parto difícil.

Personaje célebre: filósofo neoplatónico del siglo III.

PRESENTACIÓN:

Etimología: del latín *praesens*, «presente». Nombre mariano que evoca la fiesta de la Presentación de la Virgen María en el Templo.

PRIMITIVO:

Etimología: del latín *primitivus*, «que está en primer lugar».

PRISCILA:

Etimología: del latín.

Personaje célebre: hospedera de San Pablo, en Asia Menor, en el siglo I.

PROCOPIO:

Etimología: del griego *prokopé*, «el que marcha hacia adelante, que progresa».

PRÓSPERO:

Etimología: del latín, quien en todo triunfa.

Rasgos característicos: tienen un buen sentido de la vida; son bastante reservados y distantes. Ante la adversidad, se resignan en vez de rehacerse. Tienen una gran inclinación hacia la vida fácil y los placeres.

Santo: San Próspero de Aquitania. doctor de la Iglesia en el siglo V.
Personajes célebres: Prosper Mérimée, escritor francés. Prosper Crébillon, dramaturgo francés.

PRUDENCIO:

Etimología: del latín, circunspecto.
Santos: San Prudencio (795-861), obispo de Troyes. San Prudencio, obispo de Tarragona en el siglo VI.

PURA:

Etimología: del latín *Puras*, «puro, sin mácula, casto». Sinónimo de pureza, purificación o concepción.
Atributo mariano.

PURIFICACIÓN:

Etimología: del latín *purificatio*, «hacer puro, purificar».
Nombre alusivo a la purificación de la Virgen María, cuya fiesta se celebra cuarenta días después de la Natividad del Señor.

QUINTÍN:

En francés: Quentin.
En inglés: Quintin.
En alemán: Quintin.
En italiano: Quintino.
Etimología: del latín, *quintus*, quinto.
Rasgos característicos: humildes y de naturaleza bastante cerrada, no son de los que se apropian de todos los honores del éxito que se les ofrece.
Santo: San Quintín, martirizado en Augusta Veromamdorum en el siglo III.
Personajes célebres: Quentin, jefe de los herejes llamados libertinos en el siglo XVI. Quentin Metzys, pintor flamenco.
Obra: *Quentin Dureward*, de W. Scott.

QUIRICO:

De Ciriaco.

QUIRINO:

Nombre mitológico.

Personajes célebres: sobrenombre dado a Rómulo después de su muerte aludiendo a la lanza con que era representado en las estatuas. Sobrenombre de Marte y de Júpiter.

QUITERIA:

Rasgos característicos: éste es el nombre femenino activo y combativo por excelencia. Tienen una voluntad de hierro y están armadas de una irresistible confianza en sí mismas. Son muy activas, quieren que todo lo que está a su alrededor participe en la lucha. No siempre es fácil vivir con ellas, son orgullosas y su amistad a veces es tiránica.

Santa: Santa Quiteria, decapitada y sepultada cerca de Aire-sur-l'Adour.

RADAMÉS:

Etimología: nombre pseudoegipcio, inspirado en la raíz Ra, dios egipcio, y el sufijo *mes*, «hijo».

Obra: personaje de *Aida*, de Verdi.

RAFAEL:

Etimología: del hebreo, Dios le curó.

Rasgos característicos: son cerebrales, les gusta todo lo inmaterial y abstracto. Son modestos, sensibles, fieles y no les gusta exteriorizarse.

Santo: San Rafael, arcángel, uno de los ángeles de los que habla la Biblia. Patrón de los mutilados de guerra.

Personajes célebres: Rafael Collin, pintor. Rafael Sanzio, célebre pintor italiano.

Obra: *Raphaël*, de Lamartine.

RAFAELA:

Femenino de Rafael.

Personaje célebre: Raffaella Carra, cantante italiana.

RAIMUNDO, RAMÓN:

En francés: Raymond.

En inglés: Raymond.

En alemán: Raimund.

Etimología: del sajón, el que aconseja.

Rasgos característicos: son trabajadores afanosos con una naturaleza tenaz. Por su trabajo metódico son superiores a los demás. Tienen una gran voluntad y su firmeza les lleva derechos al objetivo. Son leales y encantadores, amigos seguros, capaces de sacrificarse. Su defecto es una confianza demasiado grande en sí mismos.

Santos: San Raimundo de Peñafort (1175-1275), dominico español, teólogo y canonista, arzobispo de Tarragona. Patrón de los juristas. San Raimundo Nonato, religioso español de la orden de la Merced.

Personajes célebres: varios condes de Tolosa. Raymond Loewy, escritor. Raymond Poncaré, estadista francés. May Milland, actor del cine americano.

RAINIERO:

Etimología: del germánico «consejo».

Personajes célebres: Rainiero era un músico que tañía la lira. Se hizo ermitaño en Palestina y llevó a cabo varios milagros, muchos de ellos en la ciudad de Pisa. Murió en 1160. Varios príncipes de Mónaco.

Rasgos característicos: este nombre genera confianza. Tranquilidad. Es bastante poderoso. Sabe dar confianza a su interlocutor. Trabaja mucho más de lo que parece.

RAMONA:

Nombre español. Forma española de Raimunda.

RAQUEL:

Etimología: del hebreo, oveja.

Rasgos característicos: pesimistas y dadas a la melancolía. Apasionadas por el amor, el lujo, la riqueza y por todo lo bello; eligen durante mucho tiempo a su compañero para la vida.

Personaje célebre: Raquel, según la Biblia, fue la segunda hija de Labán, y una de las esposas del patriarca Jacob.

RAÚL:

En francés: Raoul.

En inglés: Ralph.

En alemán: Rodolf.

Etimología: del sajón, asistente al consejo.

Rasgos característicos: son buenos consejeros, tienen un espíritu claro y se expresan con facilidad. Sin embargo, no tienen ambición y no les gusta el trabajo que exige un gran esfuerzo. Son sentimentales y de trato fácil.

Santos: San Raúl, de origen muy noble, arzobispo de Bourges en el siglo IX. San Raúl, monje de Saint-Jouin-des-Marnes en el siglo XII.

Personajes célebres: Raúl, rey de Francia en el siglo X. Raúl Dufy, pintor francés contemporáneo. Raúl de Navery, escritor.

REBECA:

Etimología: del hebreo, obesa.
Personaje célebre: Rebeca, mujer de Isaac, madre de Esaú y de Jacob, según la Biblia.

RECAREDO:

Etimología: del germánico Recaredus, derivado de *wirkan* «perseguir, vengar», y *rad*, «consejo».
Personaje célebre: rey visigodo, introductor del cristianismo en España.

REGINA:

Forma latina de Reina.
En francés: Reine, Régine
En inglés: Regina
En alemán: Regina
En italiano: Regina
Rasgos característicos: son de carácter independiente, de naturaleza alegre y enamorada, y de inteligencia media. Dan pruebas de gentileza y de modestia. A veces carecen de confianza en sí mismas, pues son tímidas y demasiado reservadas. Su inteligencia las impulsa siempre a conocer más, intentando penetrar las tinieblas de una ciencia que desean atesorar. En el amor son afectuosas, dulces, cariñosas y fieles. Pero a veces pasan cerca de la felicidad debido a su timidez, por no saber declarar su amor al ser amado.

Santa: Santa Regina, virgen en el siglo III, martirizada en el monte Auxois, cerca de Alise.

REINALDO:

En francés: Renaud.
En inglés: Reynold.
En alemán: Reinhard.
En italiano: Rinaldo.
Etimología: del alto alemán, aquel cuya inteligencia gobierna.
Rasgos característicos: en ocasiones deben volverse violentos para triunfar en la vida. De naturaleza muy tenaz, ponen mucho empeño en el éxito de su empresa y no temen dedicarle muchos esfuerzos.
Santo: San Reinaldo, obispo de Norera, Italia, en el siglo VIII.
Personaje célebre: Reynaldo Habn, compositor francés.

REMEDIOS:

Etimología: del latín *remedium*, «medicina, remedio». Utilizado como nombre masculino se confunde con Remigio.
Santa: Nuestra Señora de los Remedios.

REMIGIO:

En francés: Rémi, Rémy.
En alemán: Remigius.
En italiano: Remigio.
Etimología: del latín, remero, navegante.
Rasgos característicos: son de carácter sociable y un poco fantasioso, de fina inteligencia y de

voluntad flexible. No les gusta la violencia y dan testimonio de una amistad duradera, abnegada y leal. Tienen un corazón delicado, son cariñosos y sinceros. En el amor no les gusta ser engañados y no engañan a los demás.

Santo: San Remigio, obispo de Reims, apóstol de Francia, fundador de la sede episcopal de Thérouanne, que bautizó a Clodoveo en el siglo V. Personaje célebre: Rémi Belleau, uno de los poetas de la Pléyade.

RESTITUTO:

Etimología: del latín *Restitutus*, «restituido» Nombre cristiano-romano aplicado especialmente a conversos.

REYES:

Etimología: del latín *rex*. Ver Regina.
Alusivo a la festividad de los Reyes Magos.

RENATO:

En francés: René.
En inglés: Renatus.
En alemán: Renatus.
En italiano: Renato.
Rasgos característicos: son tranquilos, leales, metódicos, perseverantes y de vez en cuando, un poco fríos. No les falta originalidad, fantasía y cierto sentido de la invención. Son amables, corteses, discretos, reservados, cariñosos y sinceros.

Santo: San Renato, obispo de Angers y patrón de esta ciudad.

RICARDO:

En francés: Richard.
En inglés: Richard.
En alemán: Reichard.
En italiano: Riccardo.
Etimología: del alto alemán, jefe osado, poderoso.
Rasgos característicos: tienen una inteligencia muy fina, son de naturaleza asentada y reflexiva. Su espíritu de observación les permite descubrir los pequeños defectos de la humanidad.
Santo: San Ricardo, obispo de Chichester, Inglaterra, en el siglo XIII.
Personajes célebres: Richard Strauss, director de orquesta y compositor alemán. Richard Wallace, filántropo inglés. Richard Nixon, estadista americano. Richard Burton, actor de cine americano.

RIGOBERTO:

Etimología: del germánico *ric-berht*, «famoso por la riqueza».

RITA:

Diminutivo de Margarita.
Personaje célebre: Rita Hayworth, estrella del cine americano. Religiosa de Casso en el siglo XV. Se le invoca para las causas desesperadas y para tener hijos.

ROBERTO:

En francés: Robert.
En inglés: Robert.
En alemán: Ruprecht.
Etimología: del alto alemán, consejero brillante.
Rasgos característicos: son hábiles y excelentes en todo lo que emprenden. Son muy positivos, realistas, de una naturaleza vibrante bajo una apariencia fría, con tendencia a la novedad. Son valientes y tienen facilidad para aceptar todas las tareas difíciles. En el amor, su compañía es muy buscada y saben hacerse querer fácilmente.
Santos: San Roberto de Molesmes, primer fundador de la orden del Císter en el siglo XI. Patrón de los enseñantes. San Roberto Belarmino (1542-1621), teólogo jesuita, cardenal, acérrimo adversario del protestantismo. San Roberto, fundador de la abadía de la Chaise-Dieu en el siglo XI.
Personajes célebres: dos reyes de Francia, tres reyes de Escocia, varios condes de Artois, de Flandes, de Borgoña, de Anjou. Roberto el Diablo, padre de Guillermo el Conquistador. Robert Guiscard, fundador del reino de Nápoles. Roberto Benzi, célebre director de orquesta. Robert Oppenheimer, físico americano. Robert Koch, médico y microbiólogo alemán.

ROCÍO:

Etimología: del latín *ros*, de donde *roscidus*, «rociado, cubierto de rocío».
Alusivo a la Virgen del Rocío.

RODOLFO:

En francés: Rodolphe o Rudolph.
En inglés: Ralph, Rudolf.
En alemán: Rudolf.
Etimología: forma latinizada de Raúl. Del germánico, ayuda de la palabra.
Rasgos característicos: son aventureros a los que les gusta el movimiento e incluso el riesgo. No se interesan por las cosas pequeñas, son obstinados y aceptan muy poco los consejos. Su carácter caballeroso, dominador y realista les permite ser organizadores de primer orden.
Santo: San Rodolfo, confesor y mártir en el siglo XIII.
Personajes célebres: nombre llevado por varios soberanos y príncipes germánicos. Rodolfo Kreutzer, músico francés.

RODRIGO:

En francés: Rodrigue.
En alemán: Roderich.
Etimología: del alto alemán, muy glorioso.
Santos: San Rodrigo, cura y mártir en Córdoba en el siglo IX. San Alfonso Rodríguez, jesuita español.
Personajes célebres: nombre llevado por varios reyes en España.

ROGELIO:

En francés: Roger.
En inglés: Roger.
Etimología: del alto alemán, lanza gloriosa.

Rasgos característicos: son realistas, de naturaleza vengativa a veces, y se ponen rápidamente a la defensiva. Son tranquilos y tenaces pero, sin embargo, no están dispuestos a ceder en sus derechos. Son amigos fieles y grandes enamorados.

Santos: San Rogelio, obispo y patrón de Cannes en el siglo X. San Rogelio el Fuerte (1300-1368), jurista limusino, obispo de Orleans y luego de Limoges, y finalmente, arzobispo de Bourges.

Personajes célebres: Roger de Tancrède, conquistador normando de Sicilia.

ROLDÁN:

Etimología: del germánico *hrod-land*, «tierra gloriosa». Asimilado posteriormente a Orlando, que en realidad es distinto.

Personaje célebre: paladín medieval de la corte de Carlomagno, en el siglo IX, muerto en España al cruzar Roncesvalles.

ROMÁN:

Etimología: del latín, ciudadano de Roma.

Santos: existen al menos cinco santos con este nombre, entre los cuales el más venerado es San Román (600-644), obispo de Rouen.

Personaje célebre: Romain Rolland, escritor francés.

Obra: *Romain Kalbris*, de Hector Malot.

ROMEO:

Obra: *Romeo y Julieta*, drama en cinco actos, de Shakespeare.

ROMUALDO:

Etimología: del germánico.

Santo: San Romualdo, abad, fundador de la congregación de los Camaldulenses.

RÓMULO:

Etimología: del latín formado del griego.

Personaje célebre: mártir en Cesárea, Palestina, en el siglo IV.

ROQUE:

Etimología: del germánico *hroc*, grito de guerra; concurre con el latino *roca*, «roca».

ROSA:

En francés: Rose, Rosa.

En inglés: Rose.

En alemán: Rosa.

En italiano: Rosa.

Etimología: del latín, la rosa.

Rasgos característicos: de naturaleza tranquila, calmada, tenaz, paciente, saben lo que quieren en la vida. Son muy sinceras y su naturaleza recta y seria no les permite siempre ocultar la verdad. A veces, son un poco caprichosas y tiránicas, pero eso no les impide tener muchos amigos. Son sensibles a los requerimientos del amor y no lo admiten más que si se presenta con garantías de larga duración.

Santa: Santa Rosa de Santa María de Lima (1586-1617).

ROSALÍA:

Etimología: del latín, rosaleda.

Santa: Santa Rosalía, virgen de Palermo en el siglo XII, patrona de esta ciudad.

ROSAMUNDA:

Etimología: del latín germanizado, rosa protectora.

Rasgos característicos: los mismos que para Rosa.

Personajes célebres: una reina de Lombardía, con destino trágico, llevó este nombre en el siglo VI, Rosamond Clifford o La Bella Rosamunda, favorita de Enrique II, rey de Inglaterra.

ROSARIO:

Etimología: del latín *rosaritun*, «rosal, jardín de rosas». Evocador de la devoción mariana del Rosario.

ROSAURA:

Etimología: del germánico *hrod-wald*, «gobernante glorioso»; posteriormente identificado con el latín *rosa aurea*, «rosa de oro».

ROSENDO:

Etimología: del germánico *hirod-sinths*, «que va en dirección a la fama».

ROXANA:

Etimología: del persa *roakshna*, «brillante». Ha sido identificado con Rosana, aunque es distinto.

Personaje célebre: Roxana, mujer de Alejandro Magno.

RUBÉN:

Personaje célebre: Rubén, patriarca bíblico, cuya madre exclamó: «Dios ha visto mi aflicción» (*Rad beonyí*).

RUFINO:

Etimología: del latín.

Rasgos característicos: están dotados de energía y de voluntad, son muy hábiles para dirigir sus negocios. Su inteligencia es sólida y su memoria excepcional. Tienen una sociabilidad media y no son exaltados, generalmente.

Santo: San Rufino.

RUT, RUTH:

Etimología: del hebreo *Ruth*, «amistad, compañía», aunque más probablemente su origen se encuentra en *Ruth*, «belleza».

Personaje célebre: bisabuela de David.

SABINA, SABINO:

Etimología: del latín, del país de los sabinos. Sabino, en masculino, casi nunca se da como nombre. La misma raíz latina *sabinus* ha dado Sabina y Sabino, nombres llevados antaño por varios santos de Francia.

Santos: Santa Sabina, viuda de alta alcurnia, convertida por su sirvienta Separia y martirizada con ella en el 126. Santa Sabina, virgen, venerada en Troyes. San Sabino, obispo de Espoleto. San Sabino, venerado en el Poitou. San Sabino de Lavendan, del país de Bigorre. San Sabiniano, primer obispo de Sens y mártir.

SALOMÉ:

Etimología: del hebreo, pacífica.

Santa: Santa Salomé, una de las siete mujeres del Evangelio, prima de la Virgen.

Personaje célebre: Salomé, sobrina de Herodes, la bailarina, que pidió la cabeza de San Juan Bautista en una bandeja.

SALOMÓN:

Etimología: la misma que para Salomé.

Rasgos característicos: la principal cualidad de las personas que llevan este nombre es la sabiduría. Son justos, imparciales y dotados. En el amor saben entregarse con fidelidad.

Santo: San Salomón, mártir en Córdoba en el siglo IX.

Personaje célebre: Salomón, el más importante de los reyes hebreos, hizo construir el templo de Jerusalén.

SALUSTIANO:

Etimología: del latín *salustius* o *sallustius*, «sano, saludable».

SALVADOR:

Etimología: del latín, salvador.

Personajes célebres: obispo de Bellune. Salvador Dalí, pintor.

SILVIO:

Etimología: del latín *salvus*, «salvado», aplicado especialmente a los nacidos en un parto dificultoso.

SAMUEL:

Etimología: del hebreo, dado por Dios.

Rasgos característicos: muy finos, muy diestros, no siempre se resisten a la tentación de engañar a los demás. Son muy hábiles.

Personajes célebres: Mártir en Cesárea, Palestina, en el siglo IV. El profeta Samuel, último de los jueces de Israel. Samuel Morse, inventor del telégrafo. Sir Samuel Argail, comandante de la primera expedición inglesa para disputar la colonia francesa de Acadia.

SANCHO:

Nombre español de origen latino, santo.

Personaje célebre: Sancho Panza, compañero de Don Quijote de la Mancha, obra de Cervantes.

SANSÓN:

Etimología: del hebreo, sol.

Rasgos característicos: son hombres inteligentes y fuertes. Les gusta la naturaleza y las bellas artes. Es el prototipo del verdadero deportista.

Santo: San Sansón, obispo de Dol, en Bretaña, en el siglo VI.

Personaje célebre: Sansón, personaje bíblico.

Obra: *Sansón y Dalila* (ópera de Saint-Saëns).

SANDRA:

Nombre italiano, diminutivo de Alessandra.

SANTIAGO:

Ver Jaime.

SANTOS:

Nombre evocador de la festividad de Todos los Santos.

SARA:

Etimología: del hebreo, princesa.

Rasgos característicos: son mujeres de un temperamento ardiente, impetuoso, que saben mostrarse amables con su familia y con las personas que la rodean. En el amor, pueden ser muy fieles y felices en el hogar, si el ser amado las comprende.

Personajes célebres: Sara, esposa de Abraham y madre de Isaac. Sarah Bernhardt, actriz francesa.

SATURIO:

Etimología: del latín *saturus*, «saciado, saturado».

SATURNINO:

Etimología: del latín, perteneciente a Saturno.

Santo: San Saturnino, nacido en Grecia, apóstol de Languedoc, en el siglo III, primer obispo y patrón de Tolosa, mártir.

SEBASTIÁN:

En francés: Sébastien.

En inglés: Sebastian.

En alemán: Sebastian.

Etimología: del griego, venerado, respetado.

Rasgos característicos: son personas independientes con mucho sentido común. Tienen un carácter bueno y leal, no buscan las adulaciones y son muy sentimentales. Por otra parte, expresan con facilidad sus sentimientos y manifiestan abiertamente sus preferencias.

Santo: San Sebastián, oficial romano, martirizado en Roma en el siglo III. Patrón de los arqueros, de los presos y de los agentes de policía. Invocado contra las enfermedades contagiosas.

Personajes célebres: Sebastián, rey de Portugal (1557-1578). Johann Sebastian Bach, músico. Sébastien Slodtz, escultor flamenco. Sebastián Cabot, navegante.

SÉFORA:

Etimología: del hebreo *zipporah*, «ave».

Personaje célebre: esposa de Moisés.

SEGISMUNDO:

En francés: Segismond.

En inglés: Sigmund.

En alemán: Sigmund.

Etimología: del germánico *seig-mund*, «el que protege por la victoria».

Personajes célebres: varios emperadores centroeuropeos.

Obra: personaje principal en *La Vida es Sueño*, de Calderón.

SEGUNDO:

Etimología: del latín *secundus*, «segundo», que alude a los nacidos en segundo lugar.

SEMPRONIO:

Etimología: del latín Sempronius, aunque posiblemente es de origen etrusco.

SENÉN:

Etimología: de *Zen*, sobrenombre de Júpiter en griego. Quizás de origen persa.

Santo: Senén, santo oriental martirizado en Roma con san Abdón.

SEPTIMIO:

Etimología: del latín formado sobre el hebreo, quemar, brillar como el fuego.

SERAFÍN:

En francés: Séraphin.
En inglés: Seraphin.
En alemán: Seraph.
En italiano: Serafino
Etimología: del latín *saraf*, «serpiente».
Personaje célebre: personaje angélico definido por Santo Tomás de Aquino.
Santo: San Serafín, capuchino y confesor en el siglo XVI.

SERAFINA:

Femenino de Serafín.
Santa: Santa Serafina, abadesa.

SERAPIO:

Etimología: del latín Serapion.
Personaje célebre: Serapis, alta divinidad egipcia trasplantada a los panteones griego y romano.

SERENA:

Etimología: del latín *serenus*, «sereno, claro, tranquilo». Nombre cuya popularidad ha renacido en los últimos años.

SERGIO:

En francés: Serge.
En inglés: Sergius.
En alemán: Sergius.
En italiano: Sergio.
Etimología: del latín, siervo, esclavo o servidor.
Rasgos característicos: de inteligencia lógica y penetrante, tienen un sentimentalismo bastante violento y absoluto con tendencia a los celos. Poseen un carácter flexible y casi artero, les gusta tener una meta en la vida.
Santos: San Sergio, oficial del ejército romano martirizado en Siria en el 300. San Sergio Radonejsky (1314-1392), de una familia noble de Rostov, diplomático, luego ermitaño. Patrón de Rusia.
Personajes célebres: varios príncipes rusos. Cuatro papas. Serguéi Prokófiev, compositor ruso. Serguéi Lifar, bailarín y coreógrafo. Serguéi de Diaguilev, bailarín que introdujo los ballets rusos en Europa.
Obra: *Serge Panine*, de G. Ohnet.

SERVANDO:

Etimología: del cristiano-romano *servandus*, «el que guarda u observa».
Santos: Servando, mártir de Osuna. Servando, obispo gallego de Iria.

SEVERO:

Etimología: del latín, severo, austero.
Santos: San Severino, ermitaño de las orillas del Sena, venerado en París. San Severo, mártir.

San Severiano, mártir. San Severo, obispo de Avranches, etc.

Personajes célebres: varios emperadores romanos.

Obras: Sévére, personaje de *Corneille*. *Severo Torelli*, drama de Francois Coppée.

SIBILA:

Etimología: del griego, la que hace conocer el oráculo.

Santa: Santa Sibila, reclusa en Pavía en el siglo XIV.

Personaje célebre: Sibila, reina de Jerusalén en el siglo XII.

SIGFRIDO:

En francés: Siegfried.

En inglés: Siegfried.

En alemán: Siegfried.

Etimología: del germánico *siegfrid*, «victorioso, pacificador».

SILVANA:

Etimología: del latín *silvanus*, «de la selva, silvestre». Nombre originariamente italiano.

SILVESTRE:

Etimología: del latín, *sylvanus*, hombre de los bosques.

Rasgos característicos: poseen una inteligencia reflexiva y lenta con un encanto casi lánguido; son galantes y un poco fantásticos. Les encanta la soledad y a veces son obstinados. En el amor, su obstinación les hace conservar siempre el mismo temperamento que en la vida y en el trabajo.

Santos: San Silvestre I, papa (270-335), el primero que fue representado con la tiara en la iconografía. San Silvestre Gozzolini (1177-1267), ermitaño italiano, fundador de la orden de los Silvestrinos.

Personaje célebre: el papa Silvestre II, que predicó la primera cruzada.

Obra: *Le crime Sylvestre Bonnard*, de Anatole France.

SILVIA:

Femenino de Silvano.

Santa: Santa Silvia, madre del papa San Gregorio el Grande.

SIMEÓN:

Etimología: del hebreo, que se le concede.

Santo: San Simeón, primo de Jesús, obispo de Jerusalén y sucesor de Santiago, crucificado en el 104. San Simeón Estilita, asceta sirio.

Personajes célebres: Simeón I, kan de Bulgaria. Simeón II, zar de Bulgaria. Simeón el Soberbio, gran príncipe de los moscovitas de 1340 a 1353.

SIMÓN:

En francés: Simon.

En inglés: Simon.

En alemán: Sigmund.

En italiano: Simone.

Etimología: del hebreo, que se le concede.

Rasgos característicos: de una inteligencia fina, de naturaleza trabajadora, poseen sólidas cualidades de fondo. Son compañeros abnegados que tienen un ideal y no abandonan fácilmente los trabajos emprendidos. Tienen mucho éxito en el amor.

Santo: San Simón el Celote, uno de los doce Apóstoles de Jesucristo, mártir, evangelizador de Siria, de Egipto y de Persia. Patrón de los curtidores y de los chiquichaques.

Personajes célebres: Simón el Mago, citado en el Evangelio. Simón Bolívar, general y estadista sudamericano. Simón Stevin, matemático flamenco.

SIMONA:

Personajes célebres: Simone Signoret, actriz francesa. Simone de Beauvoir, escritora francesa.

SIMPLICIO:

Etimología: del latín *simplicius*, «sin artificio, simple, sin malicia».

SINFOROSO:

Etimología: del griego *symphorá*, «que va junto a, acompañante». Interpretado a veces como «desgraciado».

SISEBUTO:

Etimología: del germánico *sisi*, «encantamiento», y *bodo*, variante de *bald*, «audaz».

SISENANDO:

Etimología: del germánico *sigisnands*, «atrevido por la victoria».

Santo: mártir pacense decapitado en Córdoba en el siglo IX.

SIXTO:

Etimología: del latín, el sexto.
Santos: San Sixto I, papa, mártir en el siglo I. San Sixto II, papa. San Sixto III, Papa del siglo V.
Personajes célebres: otros dos papas no canonizados han llevado este nombre. Sixto IV, creador de la Capilla Sixtina, y Sixto V.

SOCORRO:

Advocación mariana de Nuestra Señora del Perpetuo Socorro.
Etimología: del latín *sub-curro*, «correr por debajo, so-correr».
Santa: santa catalana del siglo XIII.

SÓCRATES:

Personajes célebres: Sócrates, filósofo griego. Sócrates, mártir en Perge, Panfilia, en el siglo II.

SOFÍA:

En francés: Sophie.
En inglés: Sophia.
En alemán: Sofia.
Etimología: del griego, sabiduría.
Rasgos característicos: son de naturaleza inteligente, sensible y alegre. No se lanzan a los placeres ligeros de la vida, sino que por el contrario consideran lo que es más elevado. Son finas y un poco exigentes.
Santas: Santa Sofía, viuda cristiana, martirizada en Roma bajo Adriano.
Personajes célebres: Sofía, hija de Jaime I de Inglaterra. Sofía Desmaret, comediógrafa francesa.

Sofía Arnotild, cantante de la Ópera de París. Sofía Loren, actriz del cine italiano.

Obra: *Les Malheurs de Sophie*, de la condesa de Ségur.

SOL:

Etimología: del latín *sol*, el astro y dios.

Nombre masculino en principio.

SOLANGE:

Etimología: del latín *solemnis*, de *solus-amnis*, «una sola vez al año, solemne».

SOLEDAD:

Advocación mariana alusiva a la soledad en que se encontró la Virgen en la pasión de su Hijo.

SONIA:

Nombre ruso, diminutivo de Sofía.

Rasgos característicos: fantástica y liberada. Puede tener a veces aspecto de chico. Sus palabras son afiladas.

SOTERO:

Etimología: del griego *soter*, «salvador», aplicado inicialmente a Júpiter y después a Jesucristo.

SULPICIO:

Etimología: del latín, caritativo.

Santos: San Sulpicio el Severo, obispo de Bourges, muerto en el 591. San Sulpicio, obispo de Bourges, capellán del rey Clotario II, muerto en el 644.

SUSANA:

En francés: Suzanne.
En inglés: Susan.
En alemán: Susanne.
En italiano: Susanna.
Etimología: del hebreo, blanca como la azucena.
Rasgos característicos: de inteligencia media, de naturaleza vacilante, gentiles, amables y guapas. Tienen una gran facilidad de adaptación y una gran confianza en sí mismas. Son muy femeninas y espontáneas, apreciadas en sociedad y gustan mucho al sexo opuesto. Son complacientes y dispuestas a prestar ayuda, no son ni muy derrochadoras ni muy generosas. Son muy buenas esposas y, cuando aman, expresan vivamente sus sentimientos, buscando siempre el cariño; cautivan sin esfuerzo.
Santa: Santa Susana, virgen y mártir decapitada en Roma en el siglo III.
Personajes célebres: Susana, judía célebre por su belleza y por su castidad, acusada injustamente de adulterio por dos viejos. Suzanne Hayworth, actriz del cine americano.

TADEO:

Etimología: del irlandés formado sobre el latín, thaddaeus, o del griego, Theudas.

Personaje célebre: Tadeusz Kosciuszko, patriota lituano y polaco. Combatió por la libertad de Lituania, de Polonia y de Estados Unidos.

TAMAR:

Etimología: del hebreo *thamar*, «palmera».

Nombre muy corriente en Rusia en la forma Tamara.

Personaje célebre: hija de David, violada por su hermano Amón.

TANCREDO:

Etimología: del germánico, rico en recursos.

Nombre que se usaba mucho en la Edad Media.

Personaje célebre: Tancredo, príncipe de Galilea (1099-1112).

TANIA:

Rasgos característicos: gran soñadora. Puede llegar a mentir cuando la realidad no es de su gusto. Su número es el 9 y su color el azul.

Santa: Santa Tania, martirizada en Roma en el año 230.

Personaje célebre: La bailarina Tania Balachova.

TARSICIO:

Etimología: del griego *tharsikios*, «valiente».

TATIANA:

Etimología: del eslavo, formado sobre el griego.

Rasgos característicos: Son amables, graciosas, encantadoras y son conscientes de lo que valen. Al ser valientes y muy disciplinadas, son capaces de arreglárselas en todas las circunstancias. Son poco influenciables y poseen una excelente memoria. Son muy posesivas y ansiosas.

Santa: mártir en Roma.

TECLA:

Etimología: del griego.

Santa: una de las cinco religiosas mártires en Irak.

TELESFORO:

Etimología: del latín, formado sobre el griego, que cumple.

Santo: San Telesforo, papa del 125 al 136.

TELMO:

Personaje célebre: sobrenombre de San Pedro González.

TEOBALDO:

En francés: Thibaut.
En inglés: Theobald.
En alemán: Theobald.
Etimología: del germánico *theud-bald*, «pueblo valiente».

TEODOMIRO:

Etimología: del germánico *theud-miru*, «pueblo insigne».
Nombre muy usado en la Edad Media.

TEODORA:

Femenino de Teodoro.
Santas: Santa Teodora, penitente del siglo VI. Santa Teodora, virgen y mártir en el 304.
Personajes célebres: varias emperatrices de Bizancio.
Obra: *Théodora*, de V. Sardou.

TEODORO:

Etimología: del griego, don de Dios.
Rasgos característicos: son sencillos y buenos. Son famosos por su sensatez, que les permite juzgar sanamente, sacando las conclusiones más concretas. Son muy sinceros y buenos amigos. En el amor son razonadores y no se dejan llevar por las pasiones con facilidad.
Santos: San Teodoro de Amasea, soldado bajo el imperio de Maximino, mártir, quemado vivo.
Personajes célebres: dos papas, varios emperadores griegos. Teodoro Botrel, cantante. Teodoro Roosevelt, estadista americano.

TEODOSIO:

Etimología: del griego *theosóicos*, «dádiva de Dios».

TEÓFILO:

Etimología: del griego, que ama a Dios, o que es amado por Dios.

Santos: San Teófilo, pagano convertido, obispo de Austria y padre de la Iglesia. Santa Teófila, virgen y mártir en Nicomedia, en el siglo IV.

Personaje célebre: Théophile Gautier, poeta francés.

TERENCIO:

Etimología: del latín Terentius. Alusión a *terentum*, lugar del campo de Marte destinado a la celebración de Juegos.

TERESA:

En francés: Thérèse.

En inglés: Teresa.

En alemán: Theresa.

Etimología: del griego, bella y ardiente como el verano.

Rasgos característicos: son de un sentimentalismo ardiente, de naturaleza sensible, cariñosas, tranquilas y a menudo apasionadas. Saben hacerse querer y, al ser demasiado sentimentales, conceden con demasiada rapidez su corazón a las personas del sexo opuesto, que no piensan casarse inmediatamente. Este sentimentalismo las acompaña a lo largo de toda su vida, lo cual les produce varias desventuras. Por lo general son muy buenas esposas, y, sobre todo, están dotadas para educar a los hijos.

Santas: Santa Teresa de Ávila (1515-1582), religiosa y mística española, reformadora de la orden del Carmelo. Santa Teresa del Niño Jesús o Teresa de Lisieux, religiosa carmelita de esta localidad. Segunda patrona de Francia.
Personajes célebres: Teresa Levasseur, mujer de J.J. Rousseau. María Teresa de Austria.
Obra: *Thérèse Raquin*, de Émile Zola.

TIBERIO:

Etimología: del latín, formado sobre el romano.
Personajes célebres: Tiberio, emperador romano. Tiberio II, emperador bizantino.

TIBURCIO:

Etimología: del romano *tibures*, habitante del *tibur*, barrio romano situado en la colina del mismo nombre.

TIMOTEO:

Etimología: del griego, que venera a Dios.
Santo: San Timoteo, discípulo de San Pablo, obispo de Éfeso, lapidado.

TIRSO:

Etimología: nombre latino procedente de la palabra griega *thyrsos*, bastón guarnecido de hojas de parra y utilizado en las bacanales con carácter mágico-religioso, simbolizando al dios Baco.

TITO:

Etimología: del latín.
Personaje célebre: discípulo de San Pablo, obispo de Creta en el siglo I.

TOMÁS:

En francés: Thomas.
En inglés: Thomas y Tom.
En alemán: Thomas.
En italiano: Tommasso.
Etimología: del hebreo, el gemelo.
Rasgos característicos: tienen mucho sentido común y son muy complacientes. Tienen un espíritu analítico y son lentos para la decisión. Son muy dulces, fáciles y su amistad se busca. En la intimidad son muy agradables, pues poseen un espíritu vivo y siempre saben qué decir.
Santos: Santo Tomás o Dídimo, apóstol, el que habiendo dudado de la Resurrección fue invitado por Cristo a que metiera los dedos en las llagas; martirizado en Meliapur, en la India. Patrón de los arquitectos y albañiles. Santo Tomás de Aquino (1226-1274), dominico, teólogo de fama universal. Patrón de las escuelas católicas. Santo Tomás de Canterbury (1117-1170), gran canciller de Inglaterra, arzobispo de Canterbury. Santo Tomás de Villanueva (1488-1555), ermitaño, arzobispo de Valencia.
Personajes célebres: Thomas Edison, físico americano e inventor. Thomas Carlyle, historiador escocés. Thomas Cromwell, gran canciller de Inglaterra.

TORCUATO:

Etimología: del latín *torquatus*, «adornado con un collar».

Personaje célebre: nombre aplicado a un guerrero que se adornó con el collar de un galo a quien mató en combate.

TORIBIO:

Etimología: del griego *thoríbios*, «ruidoso, estrepitoso, movido».

TRANQUILINO:

Etimología: nombre de familia romano: «Tranquilo, sereno».

TRINIDAD:

Nombre místico evocador de la «reunión de tres» en que se resuelve Dios.

TRISTÁN:

Etimología: del latín, *triste*. Nombre procedente de la célebre leyenda de la Edad Media, *Tristán e Isolda.*

Personaje célebre: Tristan Bernard, novelista y dramaturgo francés.

Obras: *Tristan Shancy*, de L. Sterne. *Tristán e Isolda*, drama lírico de Wagner.

TRÓFIMO:

Etimología: del griego, «que alimenta, fecundo».

UBALDO:

Etimología: del germánico *hug-bald*, «de espíritu audaz».

Santo: San Ubaldo, obispo de Gubbio, Italia.

ULISES:

Etimología: del griego, irritado. Nombre sacado de las leyendas de la Grecia antigua.

Rasgos característicos: su carácter no es fácil de determinar. Todo lo que se sabe de ellos es que son prudentes, astutos y dóciles.

Personaje célebre: Ulises, héroe griego, rey legendario de Ítaca.

Obra: *Ulises*, de James Joyce (1922).

ULRICO:

Etimología: de origen germánico, «cortés».

URBANO:

Etimología: del latín, habitante de la ciudad.
Santos: San Urbano I, papa, mártir. San Urbano II, papa, promotor de la Primera Cruzada.

URÍAS:

Etimología: del hebreo *ur-iah,* «luz de Dios».
Personaje célebre: marido de Betsabé.

URIEL:

Etimología: la misma que para Urías.

URRACA:

Etimología: incierta, posiblemente del germánico *ur,* «uro». Asimilado a María.

ÚRSULA:

En francés: Ursule, Ursuline.
En inglés: Ursula.
En alemán: Ursula.
Etimología: del latín, osita.
Rasgos característicos: las Úrsulas son muy independientes, bastante hábiles y desenvueltas. No son demasiado sociables, pero sí bastante buenas y no buscan los cumplidos. Son dadas al ensueño, no les gustan los extremos y buscan sobre todo la tranquilidad y la armonía.
Santa: Santa Úrsula, virgen y mártir, asesinada hacia el 383 por los hunos en Colonia.
Personaje célebre: Ursula Andress, estrella del cine americano.
Obra: *Ursula Mirouët*, de Balzac.

V

VALENTÍN:

Etimología: del latín, hombre que se siente bien.

Rasgos característicos: son prudentes, alegres, optimistas, tienen el deseo de gustar y el gusto por los adornos. Mediante un trabajo afanoso, brillan especialmente cuando están llamados a realizar algo que necesita mucha atención y un espíritu tenaz. En el amor son muy ligones, pero no desean en absoluto hacer nacer sentimientos que no podrían compartir.

Santo: San Valentín, obispo y mártir, hacia el año 270. Valentín, bendijo el idilio de dos jóvenes. Esta primera pareja fue tan feliz que, después, todos los enamorados quisieron que San Valentín los bendijera. De ahí nació la costumbre de celebrar San Valentín.

Personaje célebre: Valentin Hany, fundador del Instituto de Jóvenes Ciegos.

VALENTINA:

Femenino de Valentín.

Santa: Santa Valentina, virgen y mártir del siglo IV, en Palestina.

Personaje célebre: Valentina de Visconti, hija de una ilustre familia italiana, que se casó con el duque de Orleans.

Obra: *Valentina*, de George Sand.

VALERIA:

En francés: Valérie.

En inglés: Valerie.

En alemán: Valeria.

Femenino de Valeriano.

Santa: Santa Valeria, virgen martirizada en Limoges en tiempos de San Marcial.

Obra: *Valérie*, novela de Mme. Krudner.

VALERIANO, VALERIO:

Etimología: la misma que para Valentín.

Santos: San Valerio, mártir en Soissonnais. San Valeriano, marido de Santa Cecilia.

VANESSA:

Etimología: nombre inventado por Swift en su obra *Cadenus and Vanessa.*

Personaje célebre: Vanessa Redgrave, actriz británica.

VELASCO:

Etimología: del germánico *bela*, «cuervo», o del euskera *belas-ko*, «del prado».

Originador del apellido Velázquez.

VENTURA:

Etimología: del latín *Venturum*, «lo que ha de venir». Nombre de buen augurio.

VERA:

Etimología: del eslavo, «fe».

Rasgos característicos: puede realizar grandes cosas con tal que se la estimule. Le gusta la acción. Su número es el 1 y su color el azul.

VERÓNICA:

En francés: Véronique.

En inglés: Veronica.

En alemán: Veronika.

En italiano: Veronica.

Etimología: del griego y del latín, la verdadera imagen.

Rasgos característicos: llegan a captar los conceptos más complicados, a fuerza de estudiar y de aprender cada vez más. Cuando se deciden a emprender algo, llegan hasta el final. En el amor, cuando su corazón está ligado a alguien, se niegan a retrasar mucho tiempo su felicidad.

Santas: es el nombre simbólico de la Santa mujer que, durante la Pasión, enjugó el rostro de Jesús con un lienzo sobre el que la Santa Faz quedó impresa. Santa Verónica (1445-1497), religiosa italiana del monasterio de Santa Marta de Milán.

Personaje célebre: Verónica Lake, actriz del cine americano.

VICENTE:

En francés: Vincent.
En inglés: Vincent.
En alemán: Vincentius.
En italiano: Vincenzo.
Etimología: del latín, vencedor.
Rasgos característicos: tienen un corazón de oro, son muy caritativos, de espíritu muy fino y muy intuitivo. Son grandes realizadores, ingeniosos, con una voluntad tenaz, pero carecen un poco de flexibilidad.
Santos: San Vicente Ferrer (1350-1419), dominico español. Patrón de los corredores y de los viñadores. San Vicente de Paúl (1576-1666), fundador de los Lazaristas y de las Hijas de la Caridad; se dedicó a la evangelización de los campesinos, de los pobres, de los galeotes y al cuidado de los niños abandonados. Patrón de Madagascar y de las obras de caridad.

VÍCTOR:

En francés: Victor.
En inglés: Victor.
En alemán: Viktor.
En italiano: Vittore.
Etimología: del latín, vencedor.
Rasgos característicos: los mismos que para Victoria.
Santo: San Víctor I, papa y mártir en el 199. Patrón de los molineros.
Personajes célebres: cuatro papas, varios reyes de Cerdeña y de Italia, entre los que destaca

Víctor Manuel II, último rey de Italia. Víctor Hugo, el poeta francés más ilustre del siglo XIX. Víctor Massé, compositor francés.

VICTORIA:

En francés: Victoire.
En inglés: Victoria.
En alemán: Viktoria.
Etimología: del latín, la victoria.
Rasgos característicos: están llenas de fecundidad y de fuerza. De espíritu realizador y de naturaleza orgullosa, saben amar y se apegan fácilmente a quienes les manifiestan alguna simpatía.
Santa: Santa Victoria, romana, martirizada en el 250 por haberse negado a casarse con un pagano.
Personajes célebres: Victoria de Francia, hija de Luis XV. La reina Victoria de Inglaterra.

VICTORIANO:

Etimología: la misma que para Víctor.
Personajes célebres: Señor de Adrumete, gobernador de Cartago. Victoriano Sardou, dramaturgo francés.

VICTORINO:

Etimología: la misma que para Víctor.
Personaje célebre: cura pagano, convertido en Clermont-Ferrand.

VIDAL:

Etimología: del latín Vitalis, «vital, que tiene vida, sano», quizás aludiendo a la vida sobrenatural.

VIOLANTE:

Etimología: del germánico *wioland*, «riqueza, bienestar».

Personaje célebre: reina de Aragón esposa de Jaime I, siglo XIII.

VIOLETA:

Etimología: nombre sacado de la flor del mismo nombre.

Rasgos característicos: inteligentes, gentiles, amables, espontáneas y un poco ligeras, siempre están dispuestas a gozar del placer. Brillan sobre todo por la vivacidad de su temperamento, que es risueño. Son muy buscadas, nunca saben a quién dar su corazón; saben amar con fidelidad y fundar un verdadero hogar en el que viven dentro de una alegría constante.

VIRGILIO:

Etimología: del latín.

Personaje célebre: monje de Lérins, obispo de Arlés en el siglo VI.

VIRGINIA:

En francés: Virginie.

En inglés: Virginia.

En alemán: Virginia.

En italiano: Virginia.

Etimología: del latín, virgen, jovencita.

Rasgos característicos: son de una inteligencia fina, se adaptan fácilmente y tienen una voluntad dócil. Son muy abnegadas, les gusta hacer favores a sus amigos y verlos satisfechos y sonrientes. Por desgracia, se desaniman fácilmente, y si el amor no fructifica, se quedan solteras.

Personajes célebres: la historia romana cuenta con la célebre Virginia, la «Lucrecia plebeya» que, en el siglo V antes de Cristo, fue matada por su padre para evitarle el deshonor.

Obra: *Paul et Virginie*, de Bernardin de Saint-Pierre.

VIVIANA:

Etimología: procede del latín, «vivo».

Personajes célebres: Santa Viviana, martirizada en Roma. Numerosas actrices cinematográficas.

Rasgos característicos: generalmente caprichosa y con fases de excitación a las que siguen fases de depresión.

W

WALDO:

Etimología: del germánico *wald*, «viejo, canoso», y, por extensión, «gobernante, caudillo».

WANDA:

Etimología: del germánico *wand*, «Bandera, insignia». Designa a uno de los pueblos bárbaros, los vándalos.

WENCESLAO:

Rasgos característicos: son poco influenciables, muy complacientes, dulces y fáciles de tratar. Su voluntad es fuerte y un poco enredadora.

Personaje célebre: duque de Bohemia en el siglo X.

WOLFGANGO:

Etimología: del germánico, compuesto de las voces *wulf*, «lobo, guerrero», *fil*, «lleno, total», e *ingas*, nombre del pueblo de los Anglios. «Paso del lobo».

XANTIPA:

Etimología: del griego *wanthós*, «rubio, amarillo» e *hippos*, «caballo».

Personaje célebre: mujer de Sócrates.

XAVIER:

En francés: Xavier.

En inglés: Xaverius.

En alemán: Xaver.

En italiano: Saverio.

Patronímico de San Francisco Javier, apóstol de las Indias.

Rasgos característicos: son personas de élite, dotadas intelectualmente y muy brillantes, son verdaderos hombres de acción. Muy emotivos y afectuosos, son amigos abnegados. Su amistad es muy buscada, pues saben compartir su éxito con los compañeros de trabajo.

Personaje célebre: Xavier de Maistre, escritor francés. Xavier de Montépin, novelista francés.

XENIA:

Etimología: del griego *xenos*, «extranjero, huésped». Sinónimo de Gastón y Gustavo.

XIMENA:

Nombre usual en la Edad Media. Actualmente Jimena.

Y

YOLA:

Etimología: del griego *lo*, «violeta».

Personaje célebre: amante de Hércules, causante de su ruina.

YOLANDA:

Etimología: del latín, formado del griego.

Rasgos característicos: de espíritu un poco quimérico, soñadoras, melancólicas y dulces, no ocultan su necesidad de protección. No son demasiado enérgicas, ni demasiado atentas y su espíritu parece vagar por otra parte. Son grandes enamoradas, muy sensibles y emotivas, lo cual las hace muy atractivas.

Personaje célebre: Yolanda de Aragón, reina de Sicilia en el siglo XV.

ZACARÍAS:

Etimología: del hebreo, memoria del Señor.

Santos: San Zacarías, papa, que coronó a Pipino el Breve. San Zacarías, segundo obispo de Viena, mártir. San Zacarías, padre de San Juan Bautista.

ZENAIDA:

Etimología: del griego, consagrada a Dios.

Santa: Santa Zenaida, hermana o pariente de San Pablo, muerta en el siglo I.

ZENOBIO:

Etimología: del griego *zenóbios*, «el que recibe vida de Zeus».

ZENÓN:

Etimología: del latín, formado sobre el griego.

Personajes célebres: Zenón, emperador romano de Oriente. Zenón de Citio, filósofo griego. Zenón de Elea, filósofo griego.

ZITA:

Etimología: antigua palabra toscana: «Muchacha, doncella, soltera».

Santa: Santa Zita, italiana, sirviente de la familia de los Fatinelli. Patrona de las empleadas de hogar. Se usa a veces como Teresa o Rosa.

ZOÉ:

Etimología: del griego *zoé* «vida».

ZORAIDA:

Etimología: del árabe, procedente de *zarádat*, «argolla», «graciosa». Se identifica con Gracia.

ONOMÁSTICAS

A

Aarón: 1 de julio.
Abdón: 30 de julio.
Abel: 5 de agosto.
Abelardo: 5 de agosto.
Abraham: 20 de diciembre.
Acacio: 1 de abril.
Acisclo: 17 de noviembre.
Ada: 4 de diciembre.
Adalberto: 22 de abril.
Adán: 1 de noviembre.
Adela: 24 de diciembre.
Adelaida: 16 de diciembre.
Adelardo: 2 de enero.
Adolfo: 29 de agosto.
Adelguinda: 30 de enero.
Adelino: 20 de octubre.
Adeltrudis: 11 de septiembre.
Adolfo: 11 de septiembre.
Adrián: 8 de septiembre.
Afra: 24 de mayo.
África: 5 de agosto.
Aida: 2 de febrero.
Alba: 22 de junio.
Alberico: 26 de enero.
Alberto: 17 de noviembre.
Aldo: 10 de enero.
Alejandro: 22 de abril.
Alejo: 17 de febrero.
Alfonso: 1 de agosto.
Alfredo: 15 de agosto.
Alicia: 16 de diciembre.
Almudena: 10 de noviembre.
Álvaro: 19 de febrero.
Amable: 18 de octubre.
Amadeo: 30 de marzo.
Amado: 13 de septiembre.
Amancio: 4 de noviembre.
Amaro: 10 de mayo.
Ambrosio: 7 de diciembre.
Amelia: 19 de septiembre.
Amós: 31 de marzo.
Amparo: 11 de mayo.

Afrodisio: 14 de marzo.
Ágata: 5 de febrero.
Agripina: 23 de junio.
Águeda: 5 de febrero.
Agustín: 28 de agosto.
Anastasio: 30 de noviembre.
Andrea: 30 de noviembre.
Andrés: 30 de noviembre.
Ángel: 5 de mayo.
Ángela: 27 de enero.
Angelines: 27 de enero.
Angustias: 15 de agosto.
Aniceto: 17 de Abri.
Anscario: 3 de febrero.
Anselmo: 21 de abril.
Antonio: 13 de junio.
Anunciación: 25 de marzo.
Arístides: 31 de agosto.
Armando: 8 de junio.
Arnaldo: 10 de febrero.
Arsenio: 19 de julio
Ana: 26 de julio.
Anabel: 26 de julio.
Anacleto: 13 de julio.
Ananías: 25 de enero.
Anastasia: 10 de marzo.
Arturo: 15 de noviembre.
Aspasia: 2 de enero.
Astrid: 7 de octubre.
Asunción: 15 de agosto.
Atanasio: 12 de agosto.
Ataulfo: 11 de septiembre.
Atocha: 10 de julio.
Augusto: 7 de octubre.
Áurea: 16 de junio.
Aurelia: 15 de octubre.
Aurelio: 27 de septiembre.
Aurora: 8 de septiembre.
Auxiliadora: 24 de mayo.
Avelina: 31 de mayo.
Azarías: 3 de febrero.

B

Baldomero: 27 de febrero.
Balduino: 17 de octubre.
Baltasar: 29 de marzo.
Bárbara: 4 de diciembre.
Bartolomé: 24 de agosto.
Basilio: 2 de enero.
Baudilio: 20 de mayo.
Bautista: 24 de julio.
Beatriz: 29 de junio.
Begoña: 11 de octubre.
Belén: 25 de diciembre.
Belinda: 25 de diciembre.
Benigno: 1 de noviembre.
Benito: 11 de julio.
Benjamín: 31 de marzo.
Berenguer: 2 de octubre.
Berenice: 4 de octubre.
Bernabé: 11 de junio.
Bernarda: 15 de junio.
Bernardino: 20 de mayo.
Bernardo: 15 de junio.
Berta: 4 de julio.
Bertín: 16 de octubre.
Bertrán: 16 de octubre.
Betsabé: 4 de julio.
Bienvenido: 30 de octubre.
Blanca: 5 de agosto.
Blas: 3 de febrero.
Bonifacio: 5 de junio.
Braulio: 26 de marzo.
Brenda: 16 de mayo.
Brígida: 1 de febrero.
Brunilda: 6 de octubre.
Bruno: 6 de octubre.
Buenaventura: 16 de julio.

C

Calixto: 14 de octubre.
Cándido: 3 de octubre.
Carina: 7 de noviembre.
Carlos: 4 de noviembre.
Carmen: 16 de julio.
Casandra: 22 de abril.
Casto: 22 de mayo.
Cayetano: 8 de agosto.
Cecilio: 22 de noviembre.
Celestino: 19 de mayo.
César: 26 de agosto.
Cesáreo: 26 de agosto.
Cipriano: 15 de septiembre.
Clara: 11 de agosto.
Clemente: 23 de noviembre.
Cleopatra: 11 de octubre.
Clotilde: 24 de junio.
Celestina: 19 de mayo.
Coloma: 31 de diciembre.
Cosme: 26 de septiembre.
Covadonga: 8 de septiembre.
Crisantemo: 25 de octubre.
Crispín: 18 de noviembre.
Cunegunda: 3 de septiembre.
Camilo: 14 de julio.
Candelaria: 2 de febrero.
Carlomagno: 4 de noviembre.
Carlota: 17 de julio.
Carolina: 17 de julio.
Casimiro: 4 de marzo.
Catalina: 29 de abril.
Cecilia: 22 de noviembre.
Celeste: 17 de mayo.
Celso: 28 de julio.
Cirenia: 1 de noviembre.
Ciriaco: 8 de agosto.
Cirilo: 18 de marzo.
Claudio: 15 de febrero.
Concepción: 8 de diciembre.
Conrado: 26 de noviembre.
Constantino: 27 de julio.
Celia: 22 de noviembre.
Cora: 14 de mayo.
Cristina: 24 de julio.
Cristino: 27 de julio.
Cristóbal: 28 de julio.
Cucufate: 25 de julio.
Chantal: 12 de diciembre.

D

Dafne: 19 de octubre.
Dámaso: 5 de octubre.
Damián: 26 de septiembre.
Daniel: 11 de diciembre.
Darío: 25 de octubre.
David: 29 de diciembre.
Débora: 21 de septiembre.
Delfín: 26 de noviembre.
Delia: 20 de julio.
Demetrio: 26 de octubre.
Dorotea: 5 de junio.
Desiderio: 23 de mayo.
Diego: 25 de julio.
Dionisio: 15 de mayo.
Diana: 9 de junio.
Dolores: 15 de septiembre.
Domingo: 8 de agosto.
Domitila: 7 de mayo.
Donaciano: 24 de mayo.
Donato: 5 de septiembre.

E

Eberardo: 14 de agosto.
Edeltrudis: 18 de junio.
Edgar: 8 de julio.
Edita: 16 de septiembre.
Edmundo: 20 de noviembre.
Eduardo: 5 de enero.
Eduvigis: 16 de octubre.
Efraín: 9 de junio.
Egidio: 1 de septiembre.
Elena: 18 de agosto.
Eleonor: 22 de febrero.
Eleuterio: 20 de febrero.
Elías: 20 de julio.
Enrique: 13 de julio.
Erico: 18 de mayo.
Ernestina: 7 de noviembre.
Escolástica: 10 de febrero.
Esperanza: 1 de diciembre.
Esteban: 25 de octubre.
Estela: 11 de mayo.
Eudoxio: 1 de marzo.
Eufemia: 16 de septiembre.
Eugenio: 24 de julio.
Eunice: 23 de diciembre.
Eustaquio: 20 de septiembre.
Evelio: 11 de mayo.
Ezequiel: 10 de abril.
Elisa: 2 de diciembre.
Elisabeth: 17 de noviembre.
Eliseo: 14 de julio.
Elmo: 4 de abril.
Eloisa: 1 de diciembre.
Eloy: 1 de diciembre.
Elvira: 25 de enero.
Emeterio: 3 de marzo.
Emilia: 19 de mayo.
Emiliana: 5 de enero.
Emiliano: 12 de noviembre.
Emilio: 22 de mayo.
Emmanuel: 25 de diciembre.
Erasmo: 2 de junio.
Ermengardo: 4 de septiembre.
Ernesto: 7 de noviembre.
Esmeralda: 8 de agosto.
Estanislao: 7 de septiembre.
Estefanía: 26 de octubre.
Esther: 8 de diciembre.
Estrella: 15 de agosto.
Eufrosina: 7 de mayo.
Eulalia: 10 de diciembre.
Eusebio: 14 de agosto.
Eva: 6 de septiembre.
Evaristo: 25 de octubre.

Fabián: 20 de enero.
Fabio: 31 de junio.
Fátima: 13 de mayo.
Fe: 1 de agosto.
Feliciano: 9 de junio.
Felicidad: 7 de marzo.
Felipe: 3 de mayo.
Félix: 12 de febrero.
Filiberto: 20 de agosto.
Filomena: 13 de agosto.
Fabiola: 27 de diciembre.
Fabricio: 22 de agosto.
Faustino: 15 de febrero.
Federico: 18 de julio.
Femando: 30 de mayo.
Fidel: 24 de abril.
Fermín: 11 de octubre.
Filadelfo: 2 de septiembre.
Florencia: 7 de noviembre.
Florentino: 24 de octubre.

Flavio: 11 de mayo.
Flora: 25 de octubre.
Francisco: 4 de octubre.
Froilán: 5 de octubre.
Fructuoso: 23 de enero.
Florián: 4 de mayo.
Fortunato: 23 de abril.
Fuensanta: 8 de septiembre.
Fulgencio: 1 de enero.

G

Gabriel: 29 de septiembre.
Gaspar: 23 de junio.
Genoveva: 3 de enero.
Gerardo: 7 de octubre.
Gertrudis: 16 de noviembre.
Getulio: 10 de junio.
Gilberto: 6 de junio.
Gisela: 21 de mayo.
Godiva: 6 de julio.
Gonzalo: 6 de junio.
Gregorio: 3 de septiembre.
Guadalupe: 12 de diciembre.
Guillermo: 10 de enero.
Gustavo: 3 de agosto.
Gedeón: 1 de septiembre.
Gemma: 14 de mayo.
Germán: 28 de mayo.
Geromo: 30 de septiembre.
Gervasio: 19 de junio.
Gil: 1 de septiembre.
Gilda: 29 de enero.
Gloria: 25 de marzo.
Godofredo: 8 de noviembre.
Gracia: 23 de julio.
Greta: 16 de noviembre.
Guendalina: 14 de octubre.
Gumersindo: 13 de enero.
Ginés: 25 de agosto.

H

Haroldo: 1 de octubre.
Héctor: 1 de noviembre.
Helga: 11 de julio.
Hércules: 1 de noviembre.
Heriberto: 16 de marzo.
Hermenegildo: 13 de abril.
Hildegarda: 17 de septiembre.
Homero: 13 de noviembre.
Honorio: 16 de enero.
Hortensia: 5 de octubre.
Humberto: 25 de marzo.
Heladio: 28 de mayo.
Helena: 18 de agosto.
Hilario: 13 de enero.
Hilda: 17 de noviembre.
Hildebrando: 11 de abril.
Herminia: 25 de abril.
Hipólito: 13 de agosto.
Honorato: 16 de enero.
Horacio: 1 de noviembre.
Hugo: 1 de abril.

I

Ignacio: 31 de julio.
Igor: 5 de junio.
Inés: 2 de enero.
Inmaculada: 8 de diciembre.

Ildefonso: 23 de enero.
Imelda: 17 de septiembre.
Indalecio: 15 de mayo.
Isaac: 27 de mayo.
Isabel: 4 de julio.
Isidoro: 4 de abril.
Ivo: 21 de noviembre.
Iñigo: 1 de junio.
Irene: 5 de abril.
Irma: 9 de julio.
Isidro: 4 de abril.
Ismael: 17 de junio.
Iván: 4 de junio.

J

Jeremías: 1 de mayo.
Jerónimo: 30 de septiembre.
Jesús: 1 de enero.
Jovita: 15 de febrero.
Juan: 24 de junio.
Judas: 28 de octubre.
José: 19 de marzo.
Joel: 13 de julio.
Joaquín: 26 de julio.
Jacob: 25 de julio.
Jacinto: 17 de agosto.
Judith: 7 de septiembre.
Julia: 8 de abril.
Julián: 4 de enero.
julio: 1 de julio.
Julieta: 18 de mayo.
Justiniano: 12 de marzo.
Justo: 1 de junio.
Jorge: 23 de abril.
Jonás: 21 de septiembre.
Javier: 3 de diciembre.
Jaime: 25 de julio.

K

Karen: 7 de noviembre.
Karma: 7 de noviembre.

L

Ladislao: 22 de octubre.
Landelino: 15 de junio.
Laura: 19 de octubre.
Laurencio: 10 de agosto.
Leandro: 28 de febrero.
León: 30 de junio.
Leonardo: 6 de noviembre.
Leoncio: 18 de junio.
Leónidas: 22 de abril.
Licinio: 7 de agosto.
Lidia: 26 de marzo.
Lilia: 27 de marzo.
Lope: 25 de septiembre.
Lanzarote: 27 de junio.
Larissa: 26 de mayo.
Lavinia: 22 de marzo.
Lázaro: 25 de febrero.
Leocadia: 9 de diciembre.
Leonor: 1 de julio.
Leopoldo: 15 de noviembre.
Leovigildo: 20 de agosto.
Licia: 16 de diciembre.
Linda: 28 de agosto.
Lino: 23 de septiembre.
Lola: 5 de septiembre.
Lorenzo: 10 de agosto.

Lorena: 20 de mayo.
Lotario: 7 de abril.
Lourdes: 11 de febrero.
Luciano: 8 de enero.
Lucrecia: 14 de marzo.
Luis: 21 de junio.
Llorente: 7 de noviembre.
Loreto: 10 de diciembre.
Lucas: 18 de octubre.
Lucía: 13 de diciembre.
Lucina: 30 de junio.
Ludmila: 13 de septiembre.
Lleir: 27 de agosto.

M

Macario: 15 de enero.
Mafalda: 2 de mayo.
Magín: 25 de agosto.
Mamés: 17 de agosto.
Manrique: 20 de junio.
Manuel: 22 de enero.
Marcos: 25 de abril.
Margarita: 15 de noviembre.
Marín: 4 de septiembre.
Marina: 4 de septiembre.
María: 11 de noviembre.
Martina: 30 de enero.
Mateo: 21 de septiembre.
Mauricio: 22 de septiembre.
Mauro: 15 de enero.
Maximiliano: 12 de marzo.
Melchor: 6 de enero.
Melitón: 1 de abril.
Mendo: 11 de junio.
Mireya: 9 de julio.
Miriam: 15 de agosto.
Mónica: 27 de agosto.
Magalí: 16 de noviembre.
Magdalena: 22 de julio.
Marcelino: 5 de abril.
Marcelo: 16 de enero.
Marcial: 30 de junio.
Marciana: 26 de Mario.
Maifa: 15 de agosto.
Mariano: 19 de agosto.
Mario: 19 de enero.
Marisa: 15 de agosto.
Martín: 11 de noviembre.
Matías: 24 de febrero.
Matilde: 14 de marzo.
Maximino: 29 de mayo.
Máximo: 14 de abril.
Melanio: 26 de enero.
Mercedes: 24 de septiembre.
Miguel: 29 de septiembre.
Milagros: 9 de julio.
Modesto: 24 de febrero.
Moisés: 4 de septiembre.
Montserrat: 27 de abril.

N

Nadia: 1 de diciembre.
Napoleón: 15 de agosto.
Natalia: 27 de julio.
Natividad: 1de octubre.
Nazario: 28 de julio.
Nicanor: 5 de junio.
Nicasio: 11 de octubre.
Narciso: 29 de octubre.
Natacha: 26 de agosto.
Nemesio: 1 de agosto.
Nerina: 12 de mayo.
Néstor: 26 de febrero.
Nieves: 5 de agosto.
Noé: 11 de noviembre.

Nicolás: 6 de diciembre.
Nicomedes: 15 de septiembre.
Nuño: 2 de septiembre.
Noemí: 4 de junio.
Norberto: 6 de junio.
Nuria: 8 de septiembre.

O

Obdulia: 5 de septiembre.
Oberón: 26 de enero.
Olegario: 6 de marzo.
Olga: 11 de julio.
Onésimo: 16 de febrero.
Onofre: 12 de junio.
Óscar: 3 de febrero.
Octavio: 22 de marzo.
Olaf: 29 de julio.
Oliver: 12 de julio.
Olivia: 5 de marzo.
Osvaldo: 29 de febrero.
Otón: 16 de enero.

P

Pablo: 29 de junio.
Paloma: 31 de diciembre.
Pascual: 17 de mayo.
Patricia: 17 de marzo.
Paulina: 26 de enero.
Paulino: 11 de enero.
Pelagio: 8 de octubre.
Pelayo: 26 de junio.
Penélope: 1 de noviembre.
Petronio: 6 de septiembre.
Piedad: 21 de noviembre.
Pilar: 12 de octubre.
Polixena: 23 de septiembre.
Pompeyo: 8 de mayo.
Presentación: 21 de noviembre.
Primitivo: 16 de abril.
Primo: 9 de junio.
Prudencio: 28 de abril.
Pura: 8 de diciembre.
Pancracio: 12 de mayo.
Paola: 26 de enero.
Patrocinio: 17 de marzo.
Paula: 26 de enero.
Paz: 24 de enero.
Pedro: 29 de junio.
Peregrino: 16 de mayo.
Perpetua: 7 de marzo.
Petronila: 31 de mayo.
Pío: 3 de septiembre.
Plácido: 5 de octubre.
Policarpo: 23 de febrero.
Poncio: 14 de mayo.
Porfirio: 26 de febrero.
Priscila: 16 de enero.
Procopio: 8 de julio.
Próspero: 25 de junio.
Purificación: 2 de febrero.

Q

Quintín: 31 le octubre.
Quiñeo: 16 de junio.
Quirino: 4 de junio.
Quiteña: 22 de mayo.

R

Rafael: 29 de septiembre.
Raimundo: 1 de febrero.
Ramón: 31 de agosto.
Raúl: 30 de diciembre.
Rebeca: 25 de marzo.
Regina: 16 de junio.
Reinaldo: 4 de agosto.
Remedios: 3 de febrero.
Remigio: 22 de marzo.
Renato: 19 de octubre.
Rodolfo: 21 de junio.
Rodrigo: 13 de marzo.
Román: 28 de febrero.
Romeo: 21 de noviembre.
Romualdo: 19 de junio.
Rosalía: 4 de septiembre.
Rosamunda: 23 de agosto.
Rosario: 7 de octubre.
Rubén: 4 de agosto.
Rufino: 19 de julio.
Rainiero: 30 de diciembre.
Ramiro: 11 de marzo.
Raquel: 15 de enero.
Restituto: 23 de agosto.
Reyes: 6 de enero.
Ricardo: 3 de abril.
Rigoberto: 4 de enero.
Rita: 22 de mayo.
Roberto: 30 de abril.
Rocío: 24 de mayo.
Rogelio: 30 de diciembre.
Roldán: 13 de mayo.
Rómulo: 6 de julio.
Roque: 16 de agosto.
Rosa: 23 de agosto.
Rosaura: 23 de agosto.
Rosendo: 1 de marzo.
Roxana: 23 de agosto.
Rut: 4 de junio.

S

Sabino: 30 de enero.
Salomé: 22 de octubre.
Salomón: 25 de junio.
Salustiano: 8 de junio.
Salvador: 13 de marzo.
Salvio: 10 de septiembre.
Samuel: 20 de agosto.
Sancho: 5 de julio.
Sansón: 28 de julio.
Sandra: 2 de abril.
Santiago: 25 de julio.
Santos: 1 de noviembre.
Sergio: 7 de octubre.
Servando: 23 de octubre.
Severo: 9 de enero.
Silvestre: 31 de diciembre.
Silvia: 21 de abril.
Sara: 9 de octubre.
Saturio: 2 de octubre.
Saturnino: 29 de noviembre.
Sebastián: 20 de enero.
Segismundo: 1 de mayo.
Segundo: 9 de enero.
Sempronio: 27 de julio.
Senén: 30 de julio.
Septimio: 10 de octubre.
Serafín: 12 de octubre.
Serapio: 3 de septiembre.
Serena: 28 de junio.
Sibila: 19 de Mario.
Sigfrido: 22 de agosto.
Silvana: 5 de mayo.
Simplicio: 20 de noviembre.
Sinforoso: 2 de julio.

Simeón: 1 de junio.
Simón: 28 de octubre.
Socorro: 8 de septiembre.
Sofia: 25 de mayo.
Soledad: 11 de octubre.
Sonia: 25 de mayo.
Susana: 11 de agosto.
Sisebuto: 15 de marzo.
Sixto: 5 de agosto.
Sol: 3 de diciembre.
Solange: 10 de mayo.
Sotero: 22 de abril.
Sulpicio: 20 de abril.

T

Tadeo: 28 de octubre.
Tamar: 1 de mayo.
Tatiana: 12 de enero.
Tecla: 23 de septiembre.
Telmo: 14 de abril.
Teobaldo: 13 de septiembre.
Teófilo: 4 de febrero.
Terencio: 10 de abril.
Timoteo: 26 de enero.
Tomás: 21 de febrero.
Torcuato: 15 de mayo.
Tristán: 12 de noviembre.
Tancredo: 9 de abril.
Tarsicio: 14 de agosto.
Teodomiro: 25 de julio.
Tirso: 24 de enero.
Teodoro: 20 de abril.
Teodosio: 25 de octubre.
Teresa: 15 de octubre.
Tiburcio: 14 de abril.
Tito: 26 de enero.
Toribio: 23 de marzo.
Tranquilino: 6 de julio.
Trófimo: 29 de diciembre.

U

Ubaldo: 16 de mayo.
Ulrico: 19 de abril.
Urbano: 2 de abril.
Urías: 1 de octubre.
Uriel: 1 de octubre.
Urraca: 15 de agosto.
Úrsula: 21 de octubre.

V

Valentín: 14 de febrero.
Valerio: 28 de abril.
Vera: 1 de agosto.
Verónica: 4 de febrero.
Victoria: 17 de noviembre.
Vidal: 2 de julio.
Violante: 28 de diciembre.
Vanessa: 4 de febrero.
Ventura: 3 de mayo.
Vicente: 22 de enero.
Víctor: 17 de noviembre.
Violeta: 3 de mayo.
Virgilio: 26 de junio.
Virginia: 14 de agosto.

W

Waldo: 16 de mayo.
Wolfgango: 31 de octubre.
Wenceslao: 28 de septiembre.

X

Xantipa: 23 de septiembre.
Xavier: 3 de diciembre.
Xenia: 24 de enero.

Y

Yola: 17 de diciembre.
Yolanda: 17 de diciembre.

Z

Zacarías: 5 de noviembre.
Zeferino: 22 de agosto.
Zenón: 14 de febrero.
Zita: 27 de abril.